Third Edition

SPANISH IS FUN

LIVELY LESSONS FOR BEGINNERS

Book 1

Third Edition

SPANISH IS FUN

LIVELY LESSONS FOR BEGINNERS

Book 1

Heywood Wald, Ph.D.

Former Assistant Principal
Foreign Language Department
Martin Van Buren High School
New York City

AMSCO SCHOOL PUBLICATIONS, INC.
315 Hudson Street, New York, N.Y. 10013

Audio Program

This third edition includes an audio program comprising compact discs (CDs). The voices are those of native speakers of Spanish from Latin-American countries. Each of the twenty-four lessons in the book includes the following CD materials:

Oral exercises in four-phased sequences; cue—pause for student response—correct response by native speaker—pause for student repetition.

Pronunciation of the basic Spanish sounds.

The narrative or playlet at normal listening speed.

Questions or completions based on the narrative or playlet in four-phased sequences.

The conversation, first at normal listening speed, then by phrases with pauses for student repetition.

The CDs (Ordering Code **N 614 CD**), with accompanying script, are available separately from the publisher.

Cover and text design by Merrill Haber.
Illustrations and electronic composition by Initial Graphic Systems, Inc.

Please visit our Web site at:

www.amscopub.com

When ordering this book, please specify:
R 614 P or SPANISH IS FUN, BOOK 1, 3rd Edition (Softbound)
or
R 614 H or SPANISH IS FUN, BOOK 1, 3rd Edition (Hardbound)

ISBN: 978-1-56765-464-6 (softbound)
ISBN: 978-1-56765-465-3 (Hardbound)

NYC Item: 56765-464-5 (Softbound)
NYC Item: 56765-465-2 (Hardbound)

Preface

SPANISH IS FUN, BOOK 1 offers an introductory program that makes language acquisition a natural, personalized, enjoyable, and rewarding experience. The book provides all the elements for a one-year course.

SPANISH IS FUN, BOOK 1 is designed to help students attain a desirable level of proficiency in four basic skills—speaking, listening, reading, and writing—developed through simple materials in visually focused topical contexts that students can easily relate to their own experiences. Students are asked easy-to-answer questions that require them to speak about their daily lives, express their opinions, and supply real information.

The **THIRD EDITION,** while retaining the proven organization and successful program of previous editions, has been strengthened in several ways:

1. All lesson materials are built on a clearly focused content topic.

2. Each lesson follows a consistent program sequence.

3. Many exercises are presented in a communicative framework, with greater emphasis on personalized communication.

4. A new pronunciation section with the basic sounds of Spanish is included to aid speaking proficiency.

5. Topic vocabulary at the end of each chapter helps students recapitulate new words they acquired in the lesson.

6. Section icons make lessons easier to follow.

7. Situational conversations and dialog exercises in cartoon-strip fashion are included in every lesson.

8. New *Cápsula Cultural* sections follow each lesson, with comprehension and research questions.

9. A new chapter on "fiesta" (partying) contributes to a more varied list of topics.

10. Expansion activities at the end of each lesson invite students to apply what they have learned and to check their progress.

11. A separate CUADERNO DE EJERCICIOS provides additional written practice.

12. A new Cassette program to supplement the THIRD EDITION is available separately.

SPANISH IS FUN, BOOK 1 consists of six parts. Each part contains four lessons followed by a **Repaso**, in which structure is recapitulated and practiced through various *actividades*. These include games and puzzles as well as more conventional exercises.

Each lesson includes a step-by-step sequence of elements designed to make the materials immediately accessible as well as give students the feeling that they can have fun learning and practicing their Spanish.

Vocabulary

Each lesson begins with topically related sets of drawings that convey the meanings of new words in Spanish without recourse to English. This device enables students to make a direct and vivid association between the Spanish terms and their meanings. The *actividades* also use pictures to practice Spanish words and expressions.

The lesson vocabulary, together with useful words and expressions, are glossed at the end of each lesson.

To facilitate comprehension, the book uses cognates of English words wherever suitable, especially in the first lesson. Beginning a course in this way shows the students that Spanish is not so "foreign" after all and helps them overcome any fears they may have about the difficulty of learning a foreign language.

Structures

SPANISH IS FUN, BOOK I uses a simple, straightforward, guided presentation of new structural elements. These elements are introduced in small learning components—one at a time—and are directly followed by appropriate *actividades*, many of them visually cued, personalized, and communicative. Students thus gain a feeling of accomplishment and success by making their own discoveries and formulating their own conclusions.

Conversation

To encourage students to use Spanish for communication and self-expression, each lesson includes a conversation—sometimes practical, sometimes humorous. All conversations are illustrated in cartoon-strip fashion to provide a sense of realism. Conversations are followed by dialog exercises, with students filling empty "balloons" with appropriate bits of dialog. These dialogs serve as springboards for additional personalized conversation.

Reading

Each lesson (after the first) contains a short, entertaining narrative or playlet that features new structural elements and vocabulary and reinforces previously learned grammar and expressions. These passages deal with topics that are related to the everyday experiences of today's student generation. Cognates and near-cognates are used extensively.

Culture

Each lesson is followed by a *Cápsula cultural*. These twenty-four *cápsulas*, most of them illustrated, offer students picturesque views and insights into well-known and not so well-known aspects of Hispanic culture.

The Cognate Connection

Since more than half of all English words are derived from Latin, there is an important relationship between Spanish and English vocabulary. Exercises in derivations are designed to improve the student's command of both Spanish and English.

Cuaderno

SPANISH IS FUN, BOOK 1 has a companion workbook, **CUADERNO DE EJERCICIOS,** which features additional writing practice and stimulating puzzles to supplement the textbook exercises.

Teacher's Manual and Key

A separate *Teacher's Manual and Key* provides suggestions for teaching all elements in the book, additional oral practice materials, quizzes and unit tests, two achievement tests, and a complete Key to all exercises, puzzles, quizzes, and unit tests.

Cassettes

A multicassette audio program (available separately in an attractive album with script from the publisher) includes for each lesson oral exercises, the narrative or playlet, questions or completions, and the conversation, all with appropriate pauses for response or repetition.

H.W.

Contents

Primera Parte

1 El español y el inglés   **3**
Words That Are Similar in English and Spanish; How to Say "The" in Spanish
CÁPSULA CULTURAL: **¿Habla usted castellano?**

2 La familia   **21**
How to Make Things Plural
CÁPSULA CULTURAL: **It's Mr., Mrs., and Miss., Right?**

3 La clase y la escuela   **35**
Indefinite Articles
CÁPSULA CULTURAL: **La educación**

4 Las actividades   **48**
How to Express Actions: **-AR** Verbs; How to Ask Questions and
Say No in Spanish
CÁPSULA CULTURAL: **The Man of Gold: The Legend of El Dorado**

Repaso I (Lecciones 1-4)   **71**

Segunda Parte

5 Uno, dos, tres ...   **81**
How to Count in Spanish
CÁPSULA CULTURAL: **El dinero**

6 ¿Qué hora es?   **94**
Telling Time in Spanish
CÁPSULA CULTURAL: **Las comidas**

7 Otras actividades   **115**
-ER Verbs
CÁPSULA CULTURAL: **Tapas anyone?**

8 La descripción: colores y características personales   **132**
Adjectives: How to Describe Things in Spanish
CÁPSULA CULTURAL: **Relaxing in the Park**

Repaso II (Lecciones 5-8)   **150**

Tercera Parte

9 **"Ser o no ser"**   163
   Professions and Trades; the Verb **ser**
   CÁPSULA CULTURAL: **Rapid Transit Inca-Style**

10 **Más actividades**   180
   -**IR** Verbs
   CÁPSULA CULTURAL: **La tortilla**

11 **¿Cómo está usted?**   196
   Expressions with **estar**; Uses of **ser** and **estar**
   CÁPSULA CULTURAL: **The "Shining Star of the Caribbean"**

12 **¿Cuál es la fecha de hoy?**   211
   Days and Months
   CÁPSULA CULTURAL: **Measuring the Passage of Time:**
      El calendario azteca

   Repaso III (Lecciones 9-12)   227

Cuarta Parte

13 **El cuerpo**   237
   The Verb tener; Expressions with **tener**
   CÁPSULA CULTURAL: **¡Gol! ¡Gooooool!**

14 **¿Qué tiempo hace?**   255
   Weather Expressions; Seasons; the Verb **hacer**
   CÁPSULA CULTURAL: **¡Año nuevo, vida nueva!**

15 **Mi casa**   270
   Possessive Adjectives
   CÁPSULA CULTURAL: **La casa española**

16 **La comida**   286
   What to Say When You Like Something; the Verb **gustar**
   CÁPSULA CULTURAL: **El sandwich cubano**

   Repaso IV (Lecciones 13-16)   304

Quinta Parte

17 **¿Dónde está?**   315
How to Tell Where Things Are; Prepositions
CÁPSULA CULTURAL: Signs, Signs, Signs

18 **Más números**   330
Numbers to 100
CÁPSULA CULTURAL: **Different Systems**

19 **Las diversiones**   342
How to Go Places in Spanish; the Verb **ir**
CÁPSULA CULTURAL: **Montezuma's Gift**

20 **Fiesta**   360
Stem changing verbs; **pensar** and **poder**
CÁPSULA CULTURAL: **Land of the Fiesta**

Repaso V (Lecciones 17-20)   371

Sexta Parte

21 **La ropa**   381
CÁPSULA CULTURAL: **Let's Go Shopping**

22 **Los animales**   399
The Verb **decir**
CÁPSULA CULTURAL: **Is That a Camel?**

23 **¡Qué chico es el mundo!**   413
Countries, Nationalities, and Languages
CÁPSULA CULTURAL: **¿Habla usted "Spanglish"?**

24 **Las asignaturas**   425
Preterite Tense
CÁPSULA CULTURAL: **Maya Mathematics**

Repaso VI (Lecciones 21-24)   440

Spanish-English Vocabulary   449
English-Spanish Vocabulary   457
Grammatical Index   463
Topical Index   465

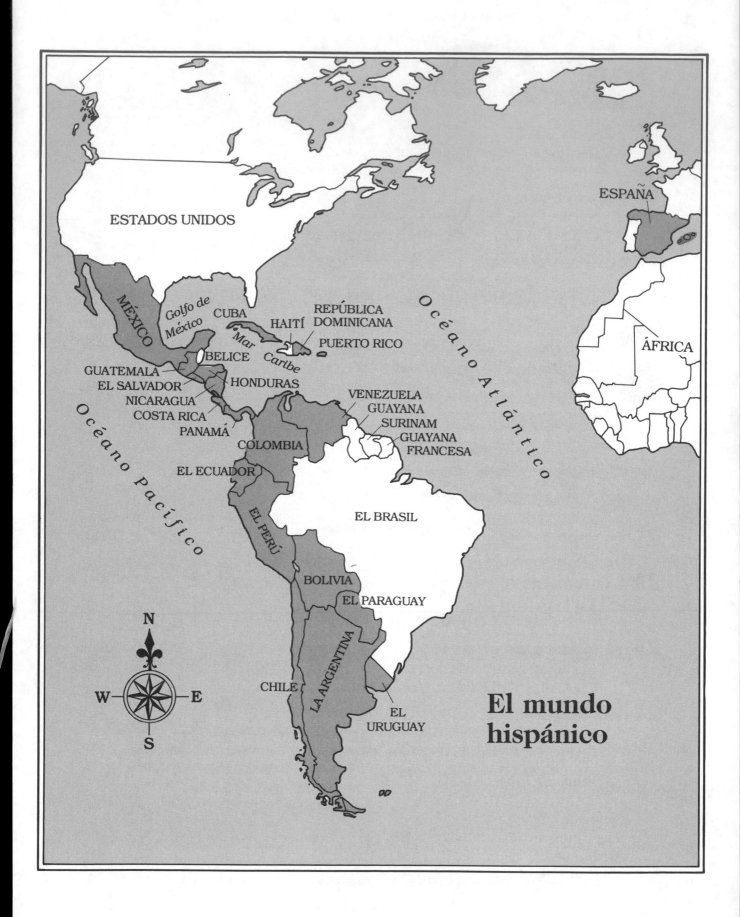

El mundo
hispánico

Primera Parte

El español y el inglés

Words That Are Similar in Spanish and English; How to Say "The" in Spanish

You'll have a lot of fun learning the Spanish language, and it will probably be easier than you think. Do you know why? Well, there are lots of words that are the same in Spanish and English. They may be pronounced differently, but they are spelled the same way and have exactly the same meaning. Also, there are many Spanish words that have a slightly different spelling (often just one letter) but can be recognized instantly by anyone who speaks English.

Let's look at some of them and pronounce them the Spanish way. Your teacher will show you how.

1 Words that are exactly the same in English and Spanish. Repeat them aloud after your teacher.

artificial	el actor	la banana
criminal	el animal	la base
cruel	el cereal	la plaza
horrible	el color	la radio
natural	el chocolate	
popular	el doctor	
probable	el hotel	
sociable	el mosquito	
terrible	el motor	
tropical	el piano	

2 Here are some Spanish words that look almost like English words. Repeat them aloud after your teacher.

delicioso	el accidente	la ambulancia
excelente	el barbero	la aspirina
famoso	el calendario	la bicicleta
importante	el diccionario	la blusa
inteligente	el elefante	la clase
moderno	el garaje	la familia
necesario	el plato	la frase
ordinario	el profesor	la foto
	el programa	la gasolina
	el restaurante	la hamburguesa
	el tigre	la medicina
	el tren	la motocicleta
	el vocabulario	la rosa
		la secretaria
		la sopa

3 Some words in Spanish have an accent mark. An accent affects the pronunciation and in some cases the meaning of a word. Here are some Spanish words that have exactly the same or almost the same spelling as English words but also have an accent mark.

tímido	el automóvil	la música
romántico	el café	la opinión
	el león	la región
	el menú	la televisión
	el teléfono	

4

Here are some Spanish words that are different from English, but you'll probably be able to figure out their meanings. Repeat them aloud after your teacher.

la fiesta   el cine   el teatro

el amigo   la amiga   el estudiante

el parque   el aeropuerto   el avión   el autobús

la estación   **la universidad**   **el banco**

el jardín   **la lámpara**   **la flor**

el agua

5

Of course, there are many Spanish words that are quite different from the English words that have the same meaning. These words you must memorize. You will probably be able to learn many of them easily by connecting them with some related English word. For example: **libro** (*book*) is related to *library*—a place where there are many books; **pollo** (*chicken*) is related to *poultry*; **médico** (*doctor*) is related to *medical*; **enfermera** (*nurse*) is related to *infirm (sick)*.

Here are some more words to add to your Spanish vocabulary.

el libro   **la pluma**   **el periódico**

el árbol

la leche

la escuela

el hombre

la mujer

el sombrero

la mano

la casa

la muchacha

el muchacho

el perro

la madre

el padre

el gato

Well, so much for vocabulary. Now let's learn a little Spanish grammar. Did you notice the words **el** and **la** before all of the nouns? These two words are Spanish words for *the*. That's right, Spanish has two words for *the* in the singular: **el** and **la**. The reason is that all Spanish nouns, unlike English nouns, have GENDER. Nouns are either MASCULINE or FEMININE: **el** is used before masculine nouns, and **la** is used before feminine nouns.

How do we tell which words are masculine and which are feminine? Compare these two groups:

I	II
el muchacho	*la* muchacha
el libro	*la* pluma
el sombrero	*la* casa

In what letter do the words in the first group end? _____. What about the second group? _____. You probably figured out the rule already.

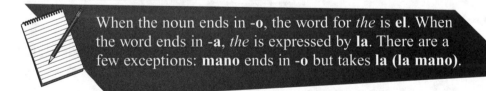

When the noun ends in **-o**, the word for *the* is **el**. When the word ends in **-a**, *the* is expressed by **la**. There are a few exceptions: **mano** ends in **-o** but takes **la** (**la mano**).

Now it's your turn. Add the appropriate article (word for *the*).

_____ escuela _____ teatro

_____ banco _____ fiesta

With nouns ending in other letters (**el tigre, la leche**), there is no way of determining whether we use **el** or **la**. That's why we need to learn the article (the) as we learn each new word.

Let's see now if you can figure out the meanings of these ten sentences.

1. El hotel es grande.

2. El actor es romántico.

3. El sandwich es delicioso.

4. El avión es rápido.

5. El muchacho es sociable.

6. El menú es excelente.

7. El médico es norteamericano.

8. La actriz es popular.

9. La lección es difícil.

10. El perro es inteligente.

You probably noticed that there is a word that appeared in all the sentences. This word is **es**, which means *is*.

¡Fantástico! Here are ten more:

1. **El presidente es famoso.**

2. **El artista es magnífico.**

3. **El accidente es terrible.**

4. **El auto es moderno.**

5. **El teléfono es necesario.**

6. **El libro es interesante.**

7. **El cereal es natural.**

8. **El amigo es sincero.**

9. **El programa es tonto.**

10. **La flor es artificial.**

ACTIVIDAD A

You have decided to rearrange your room. Label the objects you have.

el periódico	**la radio**	**la lámpara**
la bicicleta	**la guitarra**	**el teléfono**
el disco	**la foto**	**el diccionario**
el televisor		

1. _____

2. _____

3. _____

4. _____

5. _____

6. _____

8. _____

7. _____

9. _____

10. _____

ACTIVIDAD ß

Here are some places you could visit today and the transportation you could use. Label the pictures and make sure to use **el** or **la**.

1. _____

2. _____

3. _____

4. _____

5. _____

6. _____

7. _____

8. _____

9. _____

10. _____ 11. _____ 12. _____

13. _____ 14. _____

ACTIVIDAD C

Express the Spanish word for *the* before each noun: **el** if the noun is masculine, **la** if the noun is feminine.

1. _____ fiesta   8. _____ mujer   15. _____ pluma

2. _____ animal   9. _____ hombre   16. _____ padre

3. _____ banana   10. _____ muchacho   17. _____ madre

4. _____ avión   11. _____ muchacha   18. _____ leche

5. _____ amigo   12. _____ profesor   19. _____ libro

6. _____ fruta   13. _____ programa   20. _____ flor

7. _____ gasolina   14. _____ clase

ACTIVIDAD D

Sí o no. If the statement is true, say **Sí**. If it is false, say **No**. (Watch out—there are differences of opinion!). Do this with a partner and compare your answers.

1. El café es terrible. —————
2. El elefante es inteligente. —————
3. El perro es sentimental. —————
4. El autobús es rápido. —————

5. El criminal es tonto. —————
6. El cereal es necesario —————
7. La clase es excelente. —————
8. La radio es popular. —————

ACTIVIDAD E

Give your opinion by completing each sentence with one or more of the adjectives listed at the right.

EXAMPLE: **El hotel es popular**

1. El aeropuerto es _____.
2. El presidente es _____.
3. El automóvil es _____.
4. El sandwich es _____.
5. El mosquito es _____.
6. El avión es _____.
7. El chocolate es _____.
8. El garaje es _____.
9. El cine es _____.
10. El jardín es _____.

terrible

rápido

horrible

moderno

delicioso

romántico

necesario

popular

interesante

importante

excelente

horrible

grande

ACTIVIDAD F

Complete each sentence with a suitable noun.

1. La _____ es grande.

2. El _____ es horrible.

3. La _____ es importante.

4. El _____ es rápido.

5. La _____ es inteligente.

6. La _____ es excelente.

7. El _____ es necesario.

8. La _____ es artificial.

9. El _____ es moderno.

10. El _____ es delicioso.

INFORMACIÓN PERSONAL

Choose the words from the list that will tell others about you. Use the expression: **yo soy…** (*I am . . .*)

EXAMPLE: **Yo soy famoso.**

cruel	**horrible**	**inteligente**	**popular**
estudioso	**importante**	**interesante**	**sentimental**
grande	**imposible**	**natural**	**sociable**

_____

_____

_____

_____

_____

7

Now that you've learned some vocabulary, let's learn some greetings and common expressions. Here are some pictures of people talking to each other. Can you figure out what they're saying?

Hola, María.
Buenos días, Manuel.

Buenas tardes, Felipe.
¿Qué tal, Juan?

¿Cómo estás, José?
Muy bien, Pedro. ¿Y tú?

Adiós, Sara.
Hasta luego, Lupita.

¿Cómo te llamas?
Me llamo Mario.

¿Cómo se llama el
muchacho?
Se llama Eduardo.

Buenas noches, señor.
Hotel Palacio, por favor.

Muchas gracias.
De nada.

Me llamo Roberto.
Mucho gusto.

Para conversar en clase

Work with a partner. People are talking to you. What would you say to them? There may be more than one answer in some cases.

¡Hola!

¿Cómo estás?

¡Adiós!

¿Cómo te llamas?

Muchas gracias.

CÁPSULA CULTURAL

¿Habla usted castellano?

Many people believe that Spain is a country where one language, **el español**, is spoken. It is true that the official national language of Spain is **el español**, or **castellano**. By the eleventh century, the region of Castilla had become the most powerful of the Spanish kingdoms, and its language, **el castellano**, became the official language of the country.

There are, however, regions in Spain that have retained their own languages and cultures. In Cataluña, in the northeast corner of Spain bordering France, and in the Balearic Islands of the Mediterranean, **catalán**, a language with strong French connections, is spoken by over seven million people.

In Galicia, in the northwest of the Iberian Peninsula, another three million people speak **gallego**, which is related to Portuguese. The language of the Basque provinces bordering the Pyrenees Mountains is **vasco** (or **euskera**), an ancient language unrelated to any other on earth, and Europe's oldest living language.

The peoples of these regions of Spain use their own languages as well as the official **castellano**.

Here are some examples of common expressions in the four official languages of Spain.

	castellano	catalán	gallego	vasco
Good night	Buenas noches	Bona nit	Boas noites	Gau on
Thank you very much	Muchas gracias	Moltes gracies	Moitas gracias	Ezkerrik asko
It's cold	Hace frío	Fa fred	Fai frío	Hotz da

Comprensión

1. The national language of Spain is _____.

2. Cataluña is a part of Spain bordering on _____.

3. The language of Galicia is _____.

4. _____ is an ancient language unrelated to any other on earth.

5. **Fa fred** is _____ for **hace frío**.

Investigación

What are the Romance languages? How are castellano, catalán, and gallego related? Compare words and expressions in the different languages.

VOCABULARIO

IMPORTANT WORDS

el aeropuerto *airport*
el amigo *friend*
el árbol *tree*
el autobús *bus*
el avión *airplane*
el banco *bank*
la casa *house*
el cine *movie theater*
difícil *difficult*
la escuela *school*
la estación *train station*

el estudiante *student*
fácil *easy*
la fiesta *party*
la flor *flower*
el hombre *man*
el jardín *garden*
el gato *cat*
el libro *book*
la lámpara *lamp*
la leche *milk*
la madre *mother*

la mano *hand*
el muchacho *boy*
la mujer *woman*
el padre *father*
el parque *park*
el periódico *newspaper*
el perro *dog*
la pluma *pen*
el sombrero *hat*
el teatro *theater*
la universidad *university*

EXPRESSIONS

Adiós *Good bye*
Buenas noches *Good night*
Buenas tardes *Good afternoon*
Buenos días *Good morning*
¿Cómo estás? *How are you?*
¿Cómo te llamas? *What's your name?*
¿Cómo se llama? *What's his/her name?*
De nada *You're welcome*
Hasta la vista. *See you later.*
Hasta luego. *I'll see you later.*
Hasta mañana. *See you tomorrow.*

Hola *Hello*
Me llamo... *My name is . . .*
Mucho gusto. *It's a pleasure, Nice to meet you.*
Muchas gracias *Thank you very much*
Muy bien *Very well*
Por favor *Please*
¿Qué tal? *Hi!, How are you doing?*
Se llama... *His/her name is . . .*
¿Y tú? *And you?*

La familia

How to Make Things Plural

1 Vocabulario

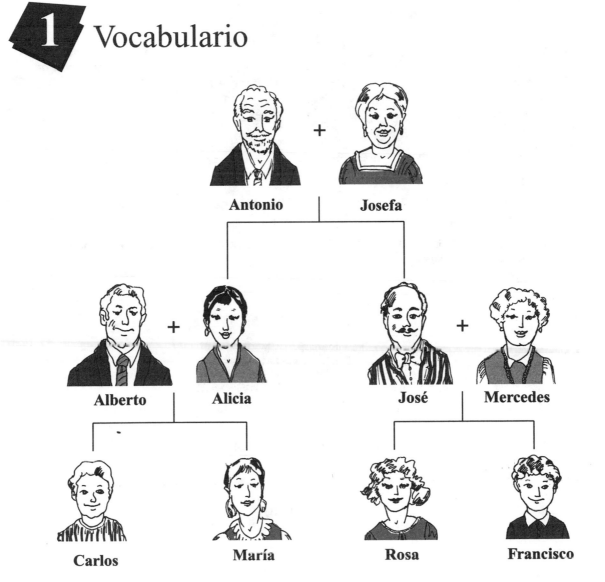

Antonio + Josefa

Alberto + Alicia   José + Mercedes

Carlos   María   Rosa   Francisco

Here we have a big happy family. It's obvious from the family tree who all the members are. Let's take a closer look:

La familia de Antonio y Josefa

Antonio y Josefa son **los abuelos** de Carlos, María, Rosa y Francisco. Antonio es **el abuelo** y Josefa es **la abuela**. Carlos y María son **hermanos**. Son **los hijos** de Alberto y Alicia, **los padres**.

y *and*
son *are*

Francisco es **el hijo** de José y Mercedes; Rosa es **la hija**. Alicia es **la hermana** de José, **la madre** de Carlos y María y la **tía** de Francisco y Rosa. José es **el hermano** de Alicia, **el padre** de Rosa y Francisco y **el tío** de Carlos y María. Carlos es **el primo** de Francisco y Rosa; María es **la prima**.

la madre de Carlos *Carlos' mother (the mother of Carlos)*

La familia tiene dos animales: Terror es el perro y Tigre es el gato. Terror y Tigre son amigos.

tiene *has*
dos *two*

La familia García es de San Juan, Puerto Rico. ¿Cómo se llaman los miembros de tu familia?

¿Cómo se llaman…? *What are the names of?*
tu *your*

ACTIVIDAD A

Following the family tree of the Garcías, complete each sentence with the correct words.

1. Alicia es la _____ de Carlos y María.

2. Los hijos de José se llaman _____ y _____.

3. Carlos es el _____ de Francisco.

4. Carlos y Francisco son _____.

5. Antonio es el _____ de Alicia.

6.   Tigre y Terror son dos _____ .

7.   Antonio y Josefa son los _____ .

8.   José es el _____ de Carlos y María.

9.   Rosa es la _____ de María.

10. Francisco y Rosa son _____ .

ACTIVIDAD ß

Sí o no. Read the following statements aloud. Based on the information we have, tell whether the statement is true (**cierto**) or false (**falso**). If your answer is **falso**, give the correct answer.

1.   El perro y el gato son animales.

   _____

2.   El abuelo es el hijo de Alicia.

   _____

3.   Carlos y María son primos.

   _____

4.   Francisco y María son hermanos.

   _____

5.   María es la tía de Rosa.

   _____

6.   Francisco es el hijo de José.

   _____

7.   Terror es el padre de la familia.

   _____

8.   Josefa y Antonio son los abuelos.

_____

9.   Carlos y María son los padres de Alberto.

_____

10.   El padre de mi madre es mi tío.

_____

ACTIVIDAD C

Identify the members of the García family, matching the words with the pictures.

la abuela	**la tía**	**la familia**	**los padres**
el abuelo	**los primos**	**los hijos**	**los animales**
los abuelos	**los hermanos**		

1. _____   **2.** _____   **3.** _____

4. _____   **5.** _____   **6.** _____

7. _____   8. _____

9. _____   10. _____

2

There are many people in the García family. When we speak about more than one person or thing, we must use the PLURAL. How do we change nouns from the singular to the plural in Spanish? Let's see if you can figure out the easy rules. Look carefully:

I	II
el gato	los gatos
el perro	los perros
la madre	las madres
la tía	las tías

Following the pattern you just saw, make the following plural:

el padre _____   la prima _____

el tío _____   la hija _____

Now compare the two groups of nouns. What letter did we add to the nouns in the second column? If you wrote the letter **s**, you are correct. Here's the first rule:

> In Spanish, if a noun ends in a vowel (a, e, i, o, u), just add the letter **S** to the singular form of the noun to make it plural.

Here are two more groups of nouns:

I	II
el animal	los animales
el color	los colores
la flor	las flores
la lección	las lecciones

Following the pattern above, make the following nouns plural:

el hotel _____   la mujer _____

el actor _____   la universidad _____

Do the nouns in Group I end in a vowel? _____ What letters did we add to make them plural? _____ Here's the second rule:

> In Spanish, if a noun ends in a consonant (for example, l, n, r), add the letters **ES** to the singular form of the noun to make it plural.

NOTE: **a.** When a singular noun ends in **z**, the **z** changes to **c** in the plural: **la actriz**, **las actrices**.

b. When a singular noun ends in a syllable with an accent mark, the accent mark is dropped in the plural: **la lección**, **las lecciones**.

4

That's all there is to it for the nouns. Did you observe the plural forms for the words that mean *the*? Examine Groups I and II again. In both groups, note the words that mean *the*. Here is the complete rule:

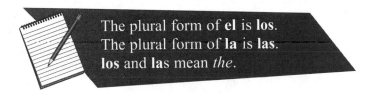

The plural form of **el** is **los**.
The plural form of **la** is **las**.
los and **las** mean *the*.

Remember, there are four words for *the* in Spanish: **el, la, los, las**. When do you use **el**? **la**? **los**? **las**? Give an example of each with a noun.

5

One more thing. What happens when you have a "mixture" of masculine and feminine? Do you use **los** or **las**? The rule is: Always use the masculine (**los**) form.

el padre
el papá

la madre
la mamá

los padres
(*the fathers* or *the parents*)

el hijo

la hija

los hijos
(*the sons* or *sons and
daughters,* or *the children*)

el hermano

la hermana

los hermanos
(*the brothers* or *the brothers and sisters*)

el abuelo

la abuela

los abuelos
(*the grandfathers* or *the grandparents*)

ACTIVIDAD D

Here are some things you are familiar with. Give the correct Spanish word for *the* before each noun.

1. _____ sandwiches	7. _____ cine	13. _____ bicicleta
2. _____ discos	8. _____ rosa	14. _____ restaurante
3. _____ música	9. _____ tacos	15. _____ aviones
4. _____ fiestas	10. _____ automóviles	16. _____ perros
5. _____ frutas	11. _____ amigos	17. _____ lecciones
6. _____ profesora	12. _____ chocolate	18. _____ parques

ACTIVIDAD €

Here is a list of common words. Give the plural form of these items using the correct form of *the*.

1. la foto _____
2. el diccionario _____
3. el libro _____
4. la pluma _____
5. la blusa _____
6. el plato _____
7. la hamburguesa _____
8. la bicicleta _____
9. el disco _____
10. la medicina _____

11. la flor _____
12. el chocolate _____
13. la banana _____
14. el cereal _____
15. el periódico _____
16. el sombrero _____
17. la aspirina _____
18. la radio _____
19. la lámpara _____
20. la fruta _____

 Pronunciación

Vowels

The chart below will teach you how to pronounce Spanish vowels.

Letter	Pronunciation	English example of sound	Spanish example
a	ah	y<u>a</u>cht, h<u>o</u>t	nacho, taco, mamá, papá

La casa de Carlos está en Santa Bárbara.

Letter	Pronunciation	English example of sound	Spanish example
e	eh	r<u>e</u>nt, s<u>e</u>nd	mesa, peso, excelente

¿Ve usted el perro del presidente?

Letter	Pronunciation	English example of sound	Spanish example
i	ee	mach<u>i</u>ne, tr<u>i</u>o	sí, rico, chico, cine

Mi tía Cristina vive en Lima.

Letter	Pronunciation	English example of sound	Spanish example
o	oh	c<u>o</u>ld, <u>o</u>bey	loco, foto, zorro

Tengo sólo ocho fotos de Bogotá.

| u | oo | m<u>oo</u>n, J<u>u</u>ne | mucho, futuro, puro |

Tú y Lupe saben mucho del Perú.

CONVERSACIÓN

Vocabulario

Hasta la vista. *See you later.*　　**Hasta mañana.** *See you tomorrow.*
Regular *so, so*

DIÁLOGO

Create your own dialog by filling in the missing spaces with words you've learned.

INFORMACIÓN PERSONAL

Your school newspaper is preparing an article about the students and their families. Fill in the following information.

Me llamo _____.

Mi madre se llama _____.

Mi *(my)* padre se llama _____.

Mi(s) hermano(s) se llama(n) _____.

Mi(s) hermana(s) se llama(n) _____.

Mi(s) abuelo(s) se llama(n) _____.

Mi(s) abuela(s) se llama(n) _____.

Mi(s) tío(s) se llama(n) _____.

Mi(s) tía(s) se llama(n) _____.

Mi(s) primo(s) se llama(n) _____.

Mi(s) prima(s) se llama(n) _____.

Mi perro se llama _____.

Mi gato se llama _____.

PRACTÍCALO

Paste pictures of the members of your family on a large piece of construction paper. Underneath each person write who he or she is and his/her name. Be ready to present it in class if your teacher asks you to do so.

EXAMPLE: **Mi hermano se llama David.**

CÁPSULA CULTURAL

It's Mr., Mrs., and Miss., right?

Well, in Spanish it's a little more complicated than that. But let's see how it works. First, the simple part:

Mr. = señor, Mrs. = señora, Miss. = señorita

These three words can be used alone to attract attention:

¡Señor!   ¡Señora!   ¡Señorita!

These titles are used, as in English, before last or family names. For example:

(el) señor Rodríguez   (la) señora Ortiz   (la) señorita Vidal

However, in Spanish they can also be used before professional titles such as Lawyer, Teacher, Doctor, etc. We would get combinations such as: **señor doctor**, **señora presidenta**, etc.

In addition, there are two more ways to show respect for the elderly and respected members of the community. They are **don** and **doña**. They are either used with the first name—don Carlos, doña Rosa—or in front of the whole name—don Carlos Montoya, doña Rosa López.

All of these titles may be abbreviated (abbreviations are always capitalized):

señor – Sr.   señora – Sra.   señorita – Srta.
don – Dn.   doña – Dña.

And finally, when addressing a letter, a combination of titles may be used: Sr. Dn. Pedro Mendoza, Sra. Dña. María García.

Comprensión

1. If you wanted to attract a young lady's attention, you would say _____

2. The titles **señor**, **señora**, **señorita** are used before _____ names or _____

3. To show respect for an elderly member of the community, the titles _____ and _____ are used with the first name.

4. **Sr.**, **Srta.**, and **Sra.** are abbreviations of _____,
    _____, and _____.

Investigación

Compare titles of courtesy and respect in Spanish with similar ones in English. Give examples.

VOCABULARIO

FAMILY MEMBERS

la abuela *grandmother*
el abuelo *grandfather*
la familia *family*
hermano(a) *brother, sister*
los hermanos *brothers and sisters*

hijo(a) *child (son, daughter)*
la madre *mother*
la mamá *mom*
el padre *father*

los padres *parents*
el papá *dad*
primo(a) *cousin*
tío(a) *uncle, aunt*

3

La clase y la escuela

Indefinite Articles

1 Vocabulario

Say the following words aloud after your teacher.

el profesor
el maestro

la profesora
la maestra

el alumno
el estudiante

la alumna
la estudiante

el papel

la nota

el lápiz

el mapa

el cuaderno

la regla

la pizarra

la ventana

el diccionario

la puerta

la tiza

el escritorio

la silla

la pluma
el bolígrafo

la mochila

ACTIVIDAD A

It's your first day in the new school year. Using the following words, identify what you see in the classroom.

la profesora   **el lápiz**   **la pizarra**   **los alumnos**
la ventana   **la tiza**   **la silla**   **la puerta**
el escritorio   **el papel**

Pronunciación

Look at the chart below and practice the pronunciation of the letter **c**. Notice that this letter may be pronounced in two different ways.

Letter	Pronunciation	English examples of sound	Spanish examples
c (before a, o, u, or consonant)	**k**	**<u>c</u>at, <u>c</u>old**	**casa, corto, crema, Cuba**

El clima en el Caribe es caliente.

c (before e, i)	**s**	**<u>c</u>ity, <u>c</u>ent**	**centavo, cinco, cine**

Necesito cinco centavos para participar en la celebración.

Now that you know all of the new words, read the following story and see if you can understand it.

La clase de Ana

La clase de español es la clase favorita de Ana. El profesor se llama Mario Rodríguez. Él es **una** persona inteligente y simpática.

En la clase hay muchos alumnos. Los alumnos tienen **un** libro de español, **un** cuaderno, **un** lápiz y **una** pluma. El libro grande en el escritorio del profesor Rodríguez es **un** diccionario de español.

En **una** pared de la clase hay **una** pizarra grande. En las otras paredes hay dos puertas y muchas ventanas. Ana es una alumna muy popular. El padre de Ana es policía. La madre de Ana es policía también. Cuando los muchachos de la clase hablan con Ana, hablan con mucho respeto.

él *he*

hay *there is, there are*
  muchos *many*
tienen *have*

del (= de + el) *of the*

la pared *wall*
grande *big, large*
otras *other*

hablan *they speak*

ACTIVIDAD β

Sí o No. Read the following statements aloud. If the statement is true, write **Cierto**. If it is false, write **Falso** and correct the information.

1. La clase de inglés es la clase favorita de Ana.

   _____

2. El profesor de español se llama Luis López.

   _____

3. El diccionario es un libro grande.

   _____

4. El profesor Rodríguez es tonto.

   _____

5. En la clase no hay pizarra.

_____

6. En la clase hay muchas puertas.

_____

7. El padre de Ana es profesor.

_____

8. Los alumnos tienen un libro, un cuaderno, un lápiz y una pluma.

_____

ACTIVIDAD C

Complete each statement about the story.

1. La clase _____ es la clase favorita de Ana.

2. El profesor es una persona _____ y _____.

3. En la clase hay _____.

4. Los alumnos tienen _____, _____ y _____.

5. El diccionario es un _____.

6. En una pared hay _____.

7. El padre de Ana es _____.

8. La madre de Ana es _____.

2 Look at the story again. There are two new little words that appear many times. What are these two new words? _____ and _____.

Can you figure out when to use **un** and when to use **una**? Look carefully:

I	II
_el_ **profesor**	_un_ **profesor**
_el_ **cuaderno**	_un_ **cuaderno**

Following the pattern above, substitute the indefinite article (**un, una**) for the definite article (**el, la**).

el diccionario _____

el escritorio _____

Let's start by comparing the two groups of nouns. Are the nouns in Group I singular or plural? _____ How do you know? _____ Are the nouns in Group I masculine or feminine? _____ How do you know? _____ What does **el** mean? _____ Now look at Group II. Which word has replaced **el**? _____ What does **un** mean? _____

3

Now look at these examples:

I	II
la tiza	*una* tiza
la silla	*una* silla

Following the pattern above, substitute the indefinite article for the definite article.

la clase _____

la puerta _____

Are the nouns in Group I singular or plural? _____ How do you know? _____ Are the nouns in Group I masculine or feminine? _____ How do you know? _____ What does **la** mean? _____ Now look at Group II. Which word has replaced **la**? _____ What does **una** mean? _____

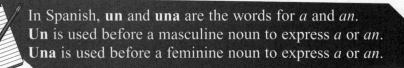

In Spanish, **un** and **una** are the words for *a* and *an*.
Un is used before a masculine noun to express *a* or *an*.
Una is used before a feminine noun to express *a* or *an*.

ACTIVIDAD D

Here's a list of people and things you can find in a classroom. Give the correct Spanish word for *a* or *an*.

1. _____ ventana
2. _____ profesor
3. _____ diccionario
4. _____ pizarra
5. _____ papel

6. _____ puerta
7. _____ alumno
8. _____ pluma
9. _____ mapa
10. _____ regla

11. _____ cuaderno
12. _____ silla
13. _____ lápiz
14. _____ alumna
15. _____ escritorio

ACTIVIDAD E

Here are some trades or professions you know. Substitute **un** or **una** for **el** and **la**.

1. el actor _____
2. la secretaria _____
3. la actriz _____
4. la profesora _____
5. el doctor _____

6. el presidente _____
7. el profesor _____
8. la estudiante _____
9. el barbero _____
10. la artista _____

ACTIVIDAD F

While you are walking down a street, you identify all the things you see.

EXAMPLE: hombre   **Es un hombre.**

1. automóvil
_____

2. teatro
_____

3. motocicleta
_____

4. perro
_____

5. casa
_____

6. autobús
_____

7. mujer
_____

8. garaje
_____

9. parque
_____

10. plaza
_____

11. flor
_____

12. estación
_____

13. animal
_____

14. ambulancia
_____

15. banco
_____

4

In the story about **la clase de español,** you may have noticed something special about these two sentences:

> **La madre de Ana es policía.**
> **El padre de Ana es policía.**

We do not use **un** or **una** with a trade or profession.

Now look at these sentences:

> **El padre de Ana es un policía famoso.**
> **La madre de Ana es una policía fabulosa.**

When do we use **un** or **una** with a trade or profession?

Let's look at some examples:

El señor Rodríguez es profesor.	*Mr. Rodríguez is a teacher.*
El señor Rodríguez es un profesor simpático.	*Mr. Rodríguez is a nice teacher.*
La señorita Paz es secretaria.	*Miss Paz is a secretary.*
La señorita Paz es una secretaria excelente.	*Miss Paz is an excellent secretary.*

The indefinite article **un** or **una** is used when the trade or profession is accompanied by an adjective.

Add the indefinite article (**un/una**) when needed.

1. Manuel es _____ barbero.

2. Felipe es _____ barbero mexicano.

3. Teresa es _____ doctora.

4. Teresa es _____ doctora famosa.

5. Alejandro es _____ carpintero.

6. Alejandro es _____ carpintero fantástico.

ACTIVIDAD G

Express the following sentences in Spanish.

1. Mr. López is an intelligent teacher.

_____

2. Julia is a secretary.

_____

3. Pedro's mother (the mother of Pedro) is an actress.

_____

4. Pedro's father (the father of Pedro) is an important doctor.

_____

5. He is an excellent barber.

_____

ACTIVIDAD H

Underline the word that does not belong in each group (according to its meaning).

1. una puerta, una ventana, una profesora, una silla

2. el lápiz, la pluma, el cuaderno, el café

3. inteligente, sociable, interesante, delicioso

4. el abuelo, la tía, la rosa, el hijo

5. la mujer, la banana, la leche, la fruta

6. un tren, una bicicleta, un avión, un jardín

7. el parque, la escuela, la universidad, la clase

8. un hospital, una ambulancia, una medicina, un autobús

9. un perro, un banco, un gato, un tigre

10. el chocolate, el cereal, el pollo, el árbol

CONVERSACIÓN

Vocabulario

estupendo *great, fine*
No importa. *It doesn't matter.*
eres *you are*
difícil *difficult*

fácil *easy*
¡Claro! *Of course!*
Buena suerte. *Good luck.*

DIÁLOGO

Complete the dialog with suitable expressions.

PRACTÍCALO

1. Make a "picture dictionary" of classroom objects. Put the Spanish name underneath each item you drew.
2. Classify the words above in groups (furniture, objects to write with, etc.).

INFORMACIÓN PERSONAL

List in Spanish eight items you keep in your locker at school or in your desk at home.

_____

_____

_____

_____

CÁPSULA CULTURAL

La educación

Some Spanish words look just like English words but do not have the same meaning. Such words are known as **"falsos amigos"** (*false friends*) because they are so misleading. In Spain and Colombia, for example, **educación** does not mean *education*, but *good manners*. A person who has **mucha educación** is considerate, courteous, and knows how to behave properly. A person who is **maleducado** is coarse and rude. To express the meaning of "educated," you would say that a person **tiene muchos estudios**.

Another misleading term for speakers of English is **colegio**. It does <u>not</u> mean college. That word is **universidad**. A **colegio** is more or less equivalent to our high school. It is an academic institution that prepares a student to enter a university.

While we're talking about education, you should know that a report card is **un informe escolar**; a mark or grade is **una nota**; and to get good grades is **sacar buenas notas**. In many Spanish-speaking countries, the 10-point marking system is used—10 being the highest, 1 the lowest, and 5 the passing grade. If you see a report card with lots of 9s and 10s, that student is doing work that is **sobresaliente** (*outstanding*). If a student receives a final grade of less than 5, the comment **suspenso** or **no aprobado** (*failed*) would appear on the report card.

Comprensión

1. In some Spanish-speaking countries the word **educación** means _____.

2. A person who is rude would be called _____.

3. The word for college in Spanish is _____.

4. The equivalent of our high school is _____.

5. **Sobresaliente** indicates _____.

Investigación

1. Make up your own report card in Spanish. Indicate the various subjects and marks given. Add **comentarios** such as **Trabaja bien**, **Necesita estudiar más**, etc.
2. Compare the school systems of some Spanish-speaking countries with ours. What are some similarities and differences?
3. What is a "**bachillerato**" and when does a student receive one?

VOCABULARIO

LA ESCUELA

la alumna *student* (f.)
el alumno *student* (m.)
el bolígrafo *pen*
el cuaderno *notebook*
el diccionario *dictionary*
el escritorio *desk*
la estudiante *student* (f.)
el estudiante *student* (m.)

el lápiz *pencil*
la maestra *teacher* (f.)
el maestro *teacher* (m.)
el mapa *map*
la mochila *backpack*
la nota *grade*
el papel *paper*
la pizarra *blackboard*

la pluma *pen*
la profesora *teacher* (f.)
el profesor *teacher* (m.)
la puerta *door*
la regla *ruler*
la silla *chair*
la tiza *chalk*
la ventana *window*

IMPORTANT WORDS

hay *there is, there are*
fácil *easy*
muchos(as) *many*
otro(a) *other*
la pared *wall*
tiene *has*

EXPRESSIONS

buena suerte *good luck*
¡Claro! *Of course!*
estupendo *great, fine*
No importa. *It doesn't matter.*

4

Las actividades

How to Express Actions: -AR Verbs;
How to Ask Questions and Say No
in Spanish

1 Vocabulario

comprar

desear

escuchar

estudiar

hablar

mirar   practicar   tomar

trabajar   visitar

ACTIVIDAD A

Match the verb with a noun that could be used with it and write your answer in the space provided.

EXAMPLE: **mirar la televisión**

1. mirar _____   en un supermercado

2. comprar _____   un disco

3. escuchar _____   la lección

4. practicar _____   un automóvil

5. visitar _____   el tren

6. estudiar _____   una blusa

7. desear _____   el piano

8. tomar _____   un museo

9. hablar _____   la televisión

10. trabajar _____   español

2

Many people will be involved in the conversation later in this lesson.
Who are they?

yo (*I*)

tú (*you*)

él (*he*)

ella (*she*)

usted (*you*)

ustedes (*you*)

nosotros

nosotros
(*we* [boys; boys and girls])

nosotras (*we* [girls])

ellos (*they* [boys])

ellos (*they* [boys, boys
and girls])

ellas (*they* [girls])

These words are called subject pronouns. Subject pronouns refer to the persons or things doing the action. Did you notice that **tú**, **usted**, and **ustedes** all mean you?

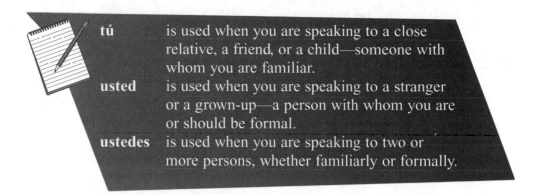

tú is used when you are speaking to a close relative, a friend, or a child—someone with whom you are familiar.

usted is used when you are speaking to a stranger or a grown-up—a person with whom you are or should be formal.

ustedes is used when you are speaking to two or more persons, whether familiarly or formally.

ACTIVIDAD ẞ

Give the subject pronoun you would use if you were speaking to the following people. Would you use **tú**, **usted**, or **ustedes**?

1. el médico _____

2. los profesores _____

3. un hermano _____

4. el presidente _____

5. una amiga _____

6. los padres _____

7. el señor Rosas _____

8. un bebé _____

3

Which pronoun would you use if you wanted to speak about **Carlos** without using his name? Which pronoun would you use if you wanted to speak about **María** without using her name?

Which pronoun would replace **Carlos y Pablo**? _____ **María y Ana**? _____ **María y Pablo**? _____

Él and **ella** may also mean *it*. Which one would you use to replace **el libro**? _____ **la regla**? _____

Ellos and **ellas** mean *they*. Which one would you use to replace **los perros**? _____ **las casas**? _____ **los alumnos y las alumnas**? _____

ACTIVIDAD C

Give the pronoun you could use to substitute for each name or noun.

1. Pedro es inteligente. _____ es inteligente.
2. El señor y la señora García son profesores. _____ son profesores.
3. Los animales son necesarios. _____ son necesarios.
4. Juana y Josefa son estudiantes. _____ son estudiantes.
5. Ana es actriz. _____ es actriz.
6. El actor es famoso. _____ es famoso.
7. Mis amigos son simpáticos. _____ son simpáticos.
8. Tu perro se llama Galán. _____ se llama Galán.
9. Gabriela y yo practicamos karate. _____ practicamos karate.
10. Tú y yo hablamos español. _____ hablamos español.

Pronunciación

Letter	Pronunciation	English examples of sound	Spanish examples
g (before a, o, u, or consonant)	g	gap, go, gum	gato, Goya, gusto, gracias

Gabriel es un gato grande y gordo.

Letter	Pronunciation	English examples of sound	Spanish examples
g (before e, i)	h	hot	general, gimnasio, Gerardo

Gerardo y Gerónimo son gemelos.

Additionally, the letter **g** is always pronounced as *g* (*gum, gap*) in **gue, gui** (**guerra, guitarra**).

Letter	Pronunciation	English examples of sound	Spanish examples
j	h	hot	José, Juan, frijoles

Julio trabaja en San José.

4 Now you are ready to read this conversation between four students preparing for a party.

MÓNICA Y ROSA: Hay una fiesta en la escuela. ¿Qué **preparas tú**?   **qué** *what*

ENRIQUE: **Yo preparo** la limonada. ¿Qué **preparan ustedes**?

MÓNICA Y ROSA: **Nosotras preparamos** los sandwiches. ¿Qué **prepara la profesora** de español? ¿Y qué **preparan** los otros **profesores**?

ENRIQUE: **Ella prepara** una torta y **ellos preparan** otros postres.   **la torta** *cake*
                ¿Qué **preparas** tú, Carlos?   **el postre** *dessert*

CARLOS: **Yo preparo** mi apetito.

5 **Preparar** is a verb, an **-AR** verb. All the verbs in this lesson belong to the **-AR** family because their infinitives (their basic forms) end in **-AR** and because they all follow the same rules of CONJUGATION.

CONJUGATION, what's that? CONJUGATION refers to changing the ending of the verb so that the verb agrees with the subject. We do the same in English without even thinking about it. For example, we say *I prepare* but *he prepares*. Look carefully at the forms of the verb **preparar** in bold type in the story and see if you can answer these questions:

To conjugate the verb (to make the subject and verb agree), which letters are dropped from the infinitive **preparar**? _____

Which endings are added to this stem for the following subject pronouns?

yo prepar_____   nosotros   } prepar _____
                           nosotras   }

tú prepar_____   ustedes   prepar _____

él   } prepar_____   ellos   } prepar _____
ella }   ellas   }

Let's see how it works. Take the verb **hablar** (*to speak*). If you want to say *I speak*, take **yo**, then remove the **-ar** from **hablar**, and add the ending **-o**:

~~hablar~~
yo hablo   *I speak, I am speaking*

Do the same for all the other subjects:

tú habla*s*	*you speak, you are speaking* (familiar singular)
usted habl*a*	*you speak, you are speaking* (formal singular)
él habl*a*	*he speaks, he is speaking*
ella habl*a*	*she speaks, she is speaking*
nosotros habl*amos* **nosotras habl*amos***	*we speak, we are speaking*
ustedes habl*an*	*you speak, you are speaking* (plural)
ellos habl*an* **ellas habl*an***	*they speak, they are speaking*

Note that there are two possible meanings for each verb form: **yo hablo** may mean *I speak* or *I am speaking*; **tú hablas** may mean *you speak* or *you are speaking*; and so on.

Now you do one. Take the verb **pasar** (*to pass*). Remove the **-ar**, look at the subjects, and add the correct endings.

yo pas _____	**ella pas** _____
tú pas _____	**nosotros pas** _____
usted pas _____	**ustedes pas** _____
él pas _____	**ellos pas** _____

6

An important point about the use of subject pronouns: In Spanish, the subject pronoun is often omitted if the meaning is clear. For example, you can say either **yo hablo español** or simply **hablo español**. The **yo** isn't really necessary except for emphasis, since the **-o** ending in **hablo** occurs only with the **yo** form. Another example: You can say either **nosotros trabajamos** or simply **trabajamos**, since the verb form that ends in **-amos** cannot be used with any other subject pronoun.

In fact, any subject pronoun may be omitted if it's not needed for clarity or emphasis.

—**¿Dónde está Carmen?**	*Where is Carmen?*
—**Está en el supermercado.**	*She is in the supermarket.*
—**¿Qué compra?**	*What is she buying?*
—**Compra leche.**	*She is buying milk.*

In the lessons that follow, we will sometimes omit the subject pronoun.

ACTIVIDAD D

A reporter for the school newspaper is asking what you do in your Spanish class. Answer her questions using the subject pronoun **yo**.

EXAMPLE: mirar la pizarra   **Yo miro la pizarra.**

1. escuchar al profesor _____

2. practicar el vocabulario _____

3. estudiar los verbos _____

4. hablar en español _____

ACTIVIDAD E

Your friends are telling you what they do on weekends. Use the subject pronoun **nosotros(-as)**.

EXAMPLE: mirar la televisión   **Nosotros miramos la televisión.**

1. escuchar música _____

2. trabajar en casa _____

3. visitar a los abuelos _____

4. comprar discos _____

ACTIVIDAD F

You tell a friend what he does on weekends. Use the subject pronoun **tú**.

EXAMPLE: mirar la televisión   **Tú miras la televisión.**

1. escuchar la radio _____

2. comprar comida _____

3. visitar a los amigos _____

4. hablar por teléfono _____

ACTIVIDAD **G**

Tell what the members of the Gómez family are doing.

EXAMPLE: Jorge / mirar la televisión   **Jorge mira la televisión.**

1. María y José / hablar

   _____

2. El padre / comprar el periódico

   _____

3. La madre / trabajar en el jardín

   _____

4. Los tíos / tomar una limonada

   _____

5. El bebé / desear leche

   _____

6. Los abuelos / escuchar un programa

   _____

7

Here are some more activities:

bailar

buscar

caminar

cantar   contestar   entrar

llegar   preguntar   usar

ACTIVIDAD **H**

Here are ten Spanish "action words." Tell who "is doing the action" by giving every pronoun that can be used with the verb. Then say what each verb means. Follow the example.

habla **usted, él, ella** habla   *you speak, he speaks, she speaks*

1. _____ contesto   _____
2. _____ llegas   _____
3. _____ cantan   _____
4. _____ caminamos   _____
5. _____ entro   _____
6. _____ buscan   _____
7. _____ trabaja   _____
8. _____ usan   _____
9. _____ pregunto   _____
10. _____ bailas   _____

ACTIVIDAD I

Give the form of the verb that is used with each subject.

EXAMPLE: hablar: yo <u>hablo</u>.

1. estudiar: yo _____

2. mirar: tú _____

3. contestar: él _____

4. preguntar: ella _____

5. caminar: usted _____

6. cantar: nosotras _____

7. practicar: ustedes _____

8. llegar: ellos _____

9. entrar: Alberto y yo _____

10. bailar: María y Pedro _____

ACTIVIDAD J

Match the descriptions with the correct pictures.

Luis usa la computadora.
Ellas preparan la comida.
Los muchachos estudian español.
Él mira el mapa.
Nosotros bailamos en la fiesta.
El alumno busca un libro.

Ellos caminan en el parque.
Usted compra una bicicleta.
Ustedes entran en el cine.
Tú llegas a la casa.
Yo pregunto en la clase.
La muchacha practica la guitarra.

1. _____

2. _____

3. _____

4. _____

5. _____

6. _____

7. _____

8. _____

9. _____

10. _____

11. _____   **12.** _____

ACTIVIDAD K

Here's a description of what some people are doing. Complete the sentences by adding the correct Spanish verb form.

1. (listen) Los alumnos _____ al profesor.

2. (buy) Yo _____ un sandwich en la cafetería.

3. (enter) Nosotros _____ en el teatro.

4. (arrive) Pedro _____ a la estación.

5. (visit) Ustedes _____ a Juan.

6. (look for) Tú _____ un libro interesante.

7. (sing) El muchacho _____ en español.

8. (dance) María _____ bien.

9. (work) Usted _____ en un hotel.

10. (take) Yo _____ el autobús.

11. (prepare) Pablo y María _____ la lección.

12. (walk) Tú _____ a la escuela.

8

Look at the following sentences:

Yo contesto.

Yo no contesto.

Pedro baila.

Ricardo no baila.

Ellos estudian.

Ellos no estudian.

Do you see what we have done? If you want to make a sentence negative in Spanish, which word is placed directly before the verb? _____ If you wrote **no**, you are correct.

 Making Spanish sentences negative is very easy. All you do is place the negative word **no** before the verb. In English we sometimes say *doesn't, don't, aren't, won't*, etc., but Spanish uses **no** in all these sentences.

Tú no hablas español.	*You don't speak Spanish.*
	You aren't speaking Spanish.
Yo no camino a la escuela.	*I don't walk to school.*
	I'm not walking to school.
Ella no compra una blusa.	*She doesn't buy a blouse.*
	She isn't buying a blouse.

ACTIVIDAD L

You like to contradict your older brother. Change the following statements he makes and give the English meaning of each negative sentence.

EXAMPLE: Juan baila bien.   Juan **no** baila bien.
John doesn't dance well.
John isn't dancing well.

1. Ella practica el piano. _____

    _____

2. Nosotros trabajamos en el jardín. _____

    _____

3. Tú contestas el teléfono. _____

    _____

4. Ellos escuchan la radio. _____

    _____

5. Ustedes usan lápices. _____

    _____

6. Usted compra el periódico. _____

    _____

7. El avión llega al aeropuerto. _____

    _____

8. Yo estudio en la universidad. _____

    _____

9. Jaime desea estudiar español. _____

    _____

10. Ustedes hablan mucho. _____

    _____

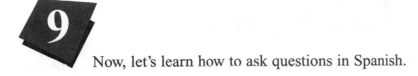

Now, let's learn how to ask questions in Spanish.

Usted toma el autobús.	*¿Toma usted el autobús?*
Carlos desea trabajar.	*¿Desea Carlos trabajar?*
Los muchachos compran discos.	*¿Compran los muchachos discos?*

Notice that in the questions, the subjects (**usted, Carlos, los muchachos**) are placed <u>after</u> the verb. Note also that there is an upside down question mark (¿) placed at the beginning of the sentence.

ACTIVIDAD M

Match the English meanings in the right column with the Spanish sentences in the left column. Write the matching letter in the space provided.

1.	Usted no usa tiza.	_____	a. Do you want to come in?
2.	¿Estudia usted mucho?	_____	b. They don't speak English.
3.	¿Bailan ustedes bien?	_____	c. Is there a dictionary in class?
4.	Ella no contesta en la clase.	_____	d. You don't use chalk.
5.	¿Es inteligente el perro?	_____	e. Do you want to visit the university
6.	¿Trabajan ellos en casa?	_____	f. Do you study a lot?
7.	¿Hay un diccionario en la clase?	_____	g. The actor is not famous.
8.	¿Escuchas tú la radio?	_____	h. My teacher doesn't talk a lot.
9.	¿Desea usted visitar la universidad?	_____	i. Do you dance well?
10.	¿Pasa el tren ahora?	_____	j. She doesn't answer in class.
11.	El actor no es famoso.	_____	k. Is the train passing now?
12.	¿Canta él?	_____	l. Is the dog intelligent?
13.	¿Desean ustedes entrar?	_____	m. Do they work at home?
14.	Ellos no hablan inglés.	_____	n. Are you listening to the radio?
15.	Mi profesor no habla mucho.	_____	o. Does he sing?

ACTIVIDAD N

You have an earache and can't hear very well today. You have to question everything you hear. Change the following statements to questions.

1. La profesora entra en la clase.

   _____

2. Tú trabajas en un banco.

   _____

3. Josefina es inteligente.

   _____

4. La madre prepara la comida.

   _____

5. Ustedes compran un auto.

   _____

6. Los tíos llegan al hotel.

   _____

7. Nosotras contestamos bien.

   _____

8. Usted desea bailar.

   _____

9. El hermano visita a la familia.

   _____

10. Mis hermanos miran la televisión.

    _____

ACTIVIDAD O

Change the sentences in Actividad N to the negative.

1. _____

2. _____

3. _____

4. _____

5. _____

6. _____

7. _____

8. _____

9. _____

10. _____

El secreto de Antonio

El detective Vargas **habla** con la señora Fuentes, la mamá de Antonio:

DETECTIVE: Señora. Yo no **busco** problemas, pero hay un misterio aquí. Todos los días Antonio **camina** a la casa desierta en la Avenida Bolívar y **entra** con una bolsa plástica, **pasa** dos o tres minutos en la casa, y va a la escuela. Cuando **hablo** con Antonio y **pregunto** por qué, él no **desea contestar**.

MAMÁ: Ay, yo no sé, señor policía. Antonio no es un ángel pero es un muchacho bueno. Cuando **llega** a casa **trabaja** mucho. No **escucha** música rock. No **mira** mucho la televisión. No **habla** por teléfono con los amigos... No es un delincuente.

DETECTIVE: Vamos a **visitar** la casa desierta.

El detective Vargas y la mamá de Antonio **caminan** a la casa y **entran**. Allí hay un hombre pobre con un sandwich y una bolsa plástica en una silla.

hay *there is*

bolsa plástica *plastic bag*
va *he goes*

yo no sé *I don't know*

Vamos a... *let's . . .*

hombre pobre *beggar, poor man*

ACTIVIDAD P

Complete these sentences based on the story.

1. La señora Fuentes _____ con _____.
2. Todos los días, Antonio _____.
3. Cuando Antonio está en casa, él _____.
4. El detective y la mamá _____.
5. En la casa hay _____.

CONVERSACIÓN

Vocabulario

todos los días *every day*   **ahora** *now*

DIÁLOGO

Fill in what the second person in the dialog would say.

PREGUNTAS PERSONALES

Answer these questions about yourself.

1. ¿Hablas mucho por teléfono?

_____

2. ¿Estudias las lecciones en casa?

_____

3. ¿Miras la televisión todos los días?

_____

4. ¿Contestas bien en la clase?

_____

5. ¿Tomas el autobús para ir a la escuela?

_____

INFORMACIÓN PERSONAL

¡Felicitaciones! Congratulations! The senior class has just chosen you as the student most likely to succeed. Tell your friends in five sentences what you do (or don't do) to make you so successful. Start each sentence with **Yo...** or **Yo no...**

EXAMPLE: Yo escucho con atención en la clase.

estudiar   **1.** _____

practicar   **2.** _____

preparar   **3.** _____

contestar   **4.** _____

hablar   **5.** _____

usar   **6.** _____

PRACTÍCALO

1. Write a note about yourself or something you like using the Spanish you have learned so far. If you can do only one or two lines, it's fine; but try to write as much as you can.
2. Make a collage of drawings or pictures of your family doing different things, that is, a picture / drawing of your brother singing: "Mi hermano canta."
3. Collect what you think are your best pieces of work. This may be any homework you did, any activity you performed in class, or even a reproduction of a conversation you practiced with a classmate.

4. Go through chapters 1-4 and make a list of what you did not understand or is very difficult for you. Make a plan to overcome those difficulties. Use your teacher's help.

CÁPSULA CULTURAL

The Man of Gold: The Legend of El Dorado

In Spanish, El Dorado means the "gilded man." When the Spaniards first came to South America, they learned of an Indian legend. It was said that there existed somewhere in the interior a land of fabulous wealth. It was ruled by a king who was so incredibly rich that he practiced a special and intriguing ceremony. Each morning, upon awakening, he would bathe and cover his body with sacred oil. His subjects would then dust his entire body with powdered gold, covering him from head to toe. In the evening he would go to a sacred lake to wash off the gold. At the same time, his people would toss gold objects and emeralds into the lake as an offering to the gods. The chief became known as El Dorado, and later his village and country acquired the same name.

The legend probably referred to a ceremony performed by the chief of the Chibcha Indians who was sprinkled with gold dust while sacrifices of gold and emeralds were thrown into the lake.

Spanish and English explorers searched in vain for the fabled golden city of El Dorado. Francisco de Orellana led an expedition to look for it in 1541. Sir Walter Raleigh went in search of it in 1595, with no success.

Finally, a Spanish explorer discovered Lake Guatavita in Colombia and attempts were made to drain it in order to find the gold and jewels that had been thrown in. Thousands of Indian workers cut an opening in the side of the lake to allow the water to drain out. The water was lowered by almost 70 feet and a large quantity of gold ornaments and emeralds were found. Several more attempts were made to drain it. In 1965 the Colombian government declared it against the law to make any further attempts to plunder the lake.

Today the name El Dorado is used to describe any legendary place of untold riches and wealth.

Comprensión

1. In Spanish, El Dorado means _____.

2. According to the legend, the King would cover his body with _____ and then dust it with _____.

3. As an offering to the gods, the king's subjects would _____.

4. The lake where the ceremonies took place was Lake _____.

5. The name of El Dorado today describes _____.

Investigación

Read about the Spanish explorers and find out what each was searching for. Design an illustrative chart indicating name, year, and places each explored. Use an enlarged map for reference.

VOCABULARIO

ACTION WORDS

bailar *to dance*
buscar *to look for*
caminar *to walk*
cantar *to sing*
comprar *to buy*
contestar *to answer*
desear *to want*
entrar *to enter, to get in*
escuchar *to listen*
estudiar *to study*

hablar *to speak*
llegar *to arrive*
mirar *to look*
practicar *to practice*
preguntar *to ask*
preparar *to prepare*
tomar *to take*
trabajar *to work*
usar *to use*
visitar *to visit*

PRONOUNS

él *he*
ella *she*
ellas *they* (fem.)
ellos *they* (masc.)
nosotros(as) *we*
usted *you* (sing.)
ustedes *you* (pl.)
tú *you* (sing., fam.)
yo *I*

Repaso I
(Lecciones 1-4)

Lección 1

Nouns in Spanish are either masculine or feminine. The definite article (English *the*) before masculine nouns is **el** and before feminine nouns **la**:

el **muchacho**	*la* **muchacha**
el **hombre**	*la* **mujer**

Lección 2

To make Spanish nouns ending in a vowel (**a, e, i, o, u**) plural, add **s** to the singular form. The definite article (*the*) before masculine plural nouns is **los** and before feminine plural nouns **las**:

el **gato**	*los* **gatos**
la **casa**	*las* **casas**

If a Spanish noun ends in a consonant, add **es** to form the plural:

el doctor	**los doctor*es***
la mujer	**las mujer*es***

Lección 3

There are two ways to say *a* or *an* in Spanish:

un is used before a masculine singular noun:

> *un* **alumno**
> *un* **lápiz**

una is used before a feminine singular noun:

> *una* **alumna**
> *una* **silla**

Lección 4

The subject pronouns are:

yo (*I*)   **nosotros, nosotras** (*we*)
tú (*you*, familiar)
usted (*you*, formal)   **ustedes** (*you*, plural)
él (*he, it*)   **ellos** (*they*)
ella (*she, it*)   **ellas** (*they*)

In order to have a correct verb with each subject, the infinitive of the verb is changed so that the verb form agrees with the subject pronoun or noun. Drop the ending **-ar** and add the endings that belong to the different subjects. This step is called CONJUGATION.

EXAMPLE: mirar (*to look*)

If the subject is   **yo**   add   **o**   to the remaining stem: **yo miro**
                            tú   **as**   **tú miras**
                            usted   **a**   **usted mira**
                            él   **a**   **él mira**
                            ella   **a**   **ella mira**
                            nosotros }   **amos**   **nosotros** } **miramos**
                            nosotras }   **nosotras** }
                            ustedes   **an**   **ustedes miran**
                            ellos }   **an**   **ellos** } **miran**
                            ellas }   **ellas** }

We have just conjugated the verb **mirar** in the present tense.

To make a sentence negative in Spanish, that is, to say that a subject does not do something, put **no** directly before the verb:

Enrique no habla inglés.
Nosotros no deseamos bailar.

To ask a question, put the subject after the verb. An inverted question mark is placed at the beginning of a question:

¿Canta Enrique en español?
¿Compra usted los sandwiches?

ACTIVIDAD A

How many of the words describing the pictures in the puzzle below do you remember?
Fill in the Spanish words, then read down the first column of letters to find the word for
what all languages consist of.

1. __ __ __ __ __ __ __ __ __

2. __ __ __ __ __ __ __ __ __ __ __ __ __

3. __ __ __ __ __ __ __

4. __ __ __ __ __ __ __ __ __

5. __ __ __ __ __ __ __

6. __ __ __ __ __ __ __

7. __ __ __ __ __ __ __ __ __ __

8. __ __ __ __ __

ACTIVIDAD ß

Buscapalabras. Find 18 Spanish nouns hidden in this puzzle. Circle them in the puzzle and list them below. The words may be read from left to right, right to left, up or down, or diagonally.

```
M  C  U  A  D  E  R  N  O  L
A  I  A  B  F  L  O  R  D  I
D  N  O  Í  T  Á  T  Í  E  V
R  E  G  L  A  P  A  T  B  Ó
E  F  H  A  L  I  B  R  O  M
I  J  J  E  U  Z  L  N  R  O
L  I  P  S  M  E  U  Ó  R  T
H  A  M  N  N  O  S  I  E  U
P  L  U  M  A  Q  A  V  P  A
H  O  M  B  R  E  S  A  T  U
```

1. _____	7. _____	13. _____
2. _____	8. _____	14. _____
3. _____	9. _____	15. _____
4. _____	10. _____	16. _____
5. _____	11. _____	17. _____
6. _____	12. _____	18. _____

ACTIVIDAD C

Here are ten pictures of people doing things. Describe each picture, using the correct form of one of the following verbs:

bailar	entrar	mirar	tomar
cantar	escuchar	practicar	trabajar
comprar	estudiar	preguntar	usar
contestar	hablar	preparar	visitar

1. Mi amigo _____ mucho.

2. Rosa y María _____ por teléfono.

3. Nosotros _____ en la fiesta.

4. Yo _____ todos los días.

5. Los alumnos _____ el diccionario de español.

6. Mi madre _____ comida en el supermercado.

7. Ustedes _____ en el cine.

8. Los hombres _____ en un banco.

9. Ellos _____ música rock.

10. Tú _____ un sandwich.

ACTIVIDAD D

Acróstico. Using the clues on the left, write Spanish words that begin with the letters in the word **televisor** (*television set*).

you (familiar)	T							
to study	E							
pencil	L							
to go in, enter	E							
to visit	V							
important	I							
young lady	S							
ordinary	O							
fast	R							

ACTIVIDAD E

Oficina de objetos perdidos (*Lost and Found*). You are working in a lost-and-found office. The following objects have been brought in. List them in Spanish.

1. _____

2. _____

3. _____

4. _____

5. _____

6. _____

7. _____

8. _____

9. _____

10. _____

11. _____

12. _____

13. _____

14. _____

ACTIVIDAD F

Picture Story. Can you read this story? Much of it is in picture form. When you come to a picture, read it as if it were a Spanish word.

Carlos es un muchacho de . Él habla español en .

La de Carlos se llama Alicia; el se llama Alberto. El padre es ;

él trabaja en un . Él usa su para ir al .

La madre de Carlos es . Ella trabaja en una moderna.

Carlos estudia en una grande. En la clase él usa muchas cosas: un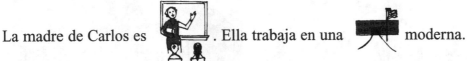

una , un y un . Terror y Tigre son dos animales de Carlos.

Terror es un y Tigre es un .

Segunda Parte

Uno, dos, tres...

How to Count in Spanish

 Vocabulario

0-cero

1-uno	**7-siete**	**13-trece**	**19-diecinueve**	**25-veinticinco**
2-dos	**8-ocho**	**14-catorce**	**20-veinte**	**26-veintiséis**
3-tres	**9-nueve**	**15-quince**	**21-veintiuno**	**27-veintisiete**
4-cuatro	**10-diez**	**16-dieciséis**	**22-veintidós**	**28-veintiocho**
5-cinco	**11-once**	**17-diecisiete**	**23-veintitrés**	**29-veintinueve**
6-seis	**12-doce**	**18-dieciocho**	**24-veinticuatro**	**30-treinta**

NOTE: **Uno** and combinations of **uno** (**veintiuno**, **treinta y uno**, etc.) become **un** before a masculine noun and **una** before a feminine noun:

veintiún hombres   **veintiuna muchachas**

ACTIVIDAD A

The announcer of the Spanish-speaking radio station is calling off the numbers of the cyclists as they cross the finish line. What is she saying? Use the numbers below as a guide.

dieciséis, diez, siete, once, ocho, catorce, doce, quince, cinco, veinte

ACTIVIDAD ß

La telefonista. You are in Mexico City. The telephone operator asks you to repeat a number. You reply.

Señorita, necesito el número...

1.   852 6910   ocho-cinco-dos-seis-nueve-uno-cero

2.   780 5802   _____

3.   596 9113   _____

4. 486 3739 _____

5. 435 8720 _____

6. 671 0429 _____

ACTIVIDAD C

Lotería nacional. The following numbers have come up. Announce them in Spanish and write them out.

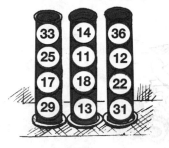

1. 33 _____

2. 25 _____

3. 17 _____

4. 29 _____

5. 14 _____

6. 11 _____

7. 18 _____

8. 13 _____

9. 36 _____

10. 12 _____

11. 22 _____

12. 31 _____

ACTIVIDAD D

Your teacher will read some numbers to you. Give the English numeral for the number you hear.

EXAMPLE: You hear: **veinte**   You say: **20**

1. _____   5. _____   9. _____

2. _____   6. _____   10. _____

3. _____   7. _____   11. _____

4. _____   8. _____   12. _____

ACTIVIDAD E

You will hear a number in English. Say the number in Spanish.

1. _____   6. _____

2. _____   7. _____

3. _____   8. _____

4. _____   9. _____

5. _____   10. _____

2   Now that you know the Spanish words for the numbers 1 to 30, let's try some arithmetic in Spanish. First you have to learn the following expressions:

y	and, plus (+)	**dividido por**	divided by (÷)
menos	minus (−)	**son**	are, equals (=)
por	times (×)	**es**	is, equals (=)

EXAMPLES:
$3 + 2 = 5$ **tres y dos son cinco**
$4 - 3 = 1$ **cuatro menos tres es uno**
$4 \times 4 = 16$ **cuatro por cuatro son dieciséis**
$10 \div 2 = 5$ **diez dividido por dos son cinco**

Una canción de aritmética   **la canción** *song*

Dos y dos son cuatro,
Cuatro y dos son seis,
Seis y dos son ocho,
Y ocho, dieciséis.
Y ocho, veinticuatro,
Y ocho, treinta y dos,
Así es la aritmética,   **así** *so, thus*
Un genio soy yo.   **yo soy** *I am*

ACTIVIDAD F

Read the following numbers in Spanish. Then write out each problem in numerals.

1. Quince menos dos son trece.   _____

2. Once y diez son veintiuno.   _____

3. Seis por cinco son treinta.   _____

4. Doce dividido por tres son cuatro.   _____

5. Catorce dividido por dos son siete.   _____

6. Nueve y once son veinte.   _____

7. Dieciséis menos quince es uno.   _____

8. Ocho por tres son veinticuatro.   _____

9. Trece por dos son veintiséis.   _____

10. Trece y doce son veinticinco.   _____

ACTIVIDAD G

Write the following examples in Spanish, then read them aloud.

1. $21 + 3 = 24$ _____

2. $19 - 2 = 17$ _____

3. $4 \times 7 = 28$ _____

4. $8 \div 4 = 2$ _____

5. $12 + 3 = 15$ _____

6. $30 - 5 = 25$ _____

7. $4 \times 5 = 20$ _____

8. $16 \div 2 = 8$ _____

9. $10 + 9 = 19$ _____

10. $28 - 7 = 21$ _____

ACTIVIDAD H

Complete these sentences in Spanish.

1. Tres y siete son _____.

2. Cuatro menos tres es _____.

3. Dos por dos son _____.

4. Tres dividido por tres es _____.

5. Diez y cinco son _____.

6. Diez menos cinco son _____.

7. Diez dividido por cinco son _____.

8. Uno por uno es _____.

9. Doce menos once es _____.

10. Diez y siete son _____.

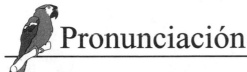

Working with a partner, take turns making up an arithmetic problem that the other will solve.

Pronunciación

Letter	Pronunciation	English examples of sound	Spanish examples
h	always silent, never pronounced	<u>h</u>our, <u>h</u>onest	a<u>h</u>ora, <u>h</u>asta, <u>h</u>ombre

Hola, Heriberto. ¿Qué has hecho hoy?

The scene of this story is a music shop, where Roberto and his friend Rosita want to buy a CD. Read on to find out how they do it. But first make sure you know your numbers, because there are many in the story.

La tienda de discos

Personajes: Roberto, un muchacho de 15 años.
            Rosita, su amiga de 14 años.

DEPENDIENTE: Buenos días, muchachos, ¿Qué desean ustedes?

ROBERTO: Deseamos este disco de rock. ¿Cuánto cuesta?

DEPENDIENTE: El total es **doce** dólares **treinta** centavos.

ROBERTO: ¿**Doce** dólares **treinta** centavos? ¡Es mucho dinero!

DEPENDIENTE: No, no es mucho. Es un disco muy popular.

ROBERTO: Aquí tengo **diez** dólares. Necesito **dos** dólares y **treinta** centavos.

ROSITA: Yo tengo **dos** dólares y varias monedas.

ROBERTO: ¡Perfecto! **Cinco, diez, quince, veinte, veinticinco, treinta.**

DEPENDIENTE: ¡Exacto!

ROBERTO: Oh, gracias Rosita. ¡Qué buena eres!

ROSITA: Sí, especialmente cuando tengo dinero, ¿verdad?

dependiente *clerk*

este *this*
¿Cuánto cuesta? *How much is it?*

dinero *money*

monedas *coins*

ACTIVIDAD J

Complete these sentences, which are based on the conversation you have just read.

1. Roberto es un muchacho de _____ años.

2. Rosita es una muchacha de _____ años.

3. El dependiente pregunta: _____.

4. Roberto contesta: _____.

5. El disco cuesta _____.

6. Roberto cuenta: cinco, diez _____.

ACTIVIDAD K

You were asked to make a list of the number of students in your classes. How many students are there in each class? How many boys and girls? Give the numbers in Spanish.

CLASE	NÚMERO DE ALUMNOS	NÚMERO DE MUCHACHOS	NÚMERO DE MUCHACHAS
Matemáticas	_____	_____	_____
Español	_____	_____	_____
Estudios Sociales	_____	_____	_____
Ciencia	_____	_____	_____
Inglés	_____	_____	_____

Para conversar en clase

Say the following in complete Spanish sentences.

EXAMPLE: Necesito ocho dólares para comprar un libro.

¿Cuánto dinero necesitas para...

1. comprar un disco?
2. tomar el autobús?
3. comprar un dulce?
4. entrar en el cine?

CONVERSACIÓN

Vocabulario

dulces *candy*   **vamos** *let's go*
más *more*   **a** *to*

DIÁLOGO

Complete this conversation between these two friends.

INFORMACIÓN PERSONAL

Your school requires that every student fill out an information card for the computer. Supply the following information in Spanish, writing out all the numbers:

1. Edad: _____ años.

2. En mi familia hay _____ personas.

3. Número de hermanos _____.

4. Número de hermanas _____.

5. Mi número de teléfono es _____.

6. El número de mi casa es _____.

PRACTÍCALO

1. Using vocabulary you've learned so far, make a list of objects and people in your house, saying how many there are, for example: **hay cuatro lámparas**. Use the formula "En mi casa hay..." (*In my house there are...*)

2. Collect different items with numbers on them (lottery tickets, price labels, bus tickets, etc.) and write out those numbers in Spanish.

CÁPSULA CULTURAL

El dinero

If you want to buy things in the United States, you use dollars (**dólares**). But if you are planning to travel to a Hispanic country, you will have to find out what the national currency is. Hispanic countries share a common language and some common cultural traits, but they are far from similar. One of the things they don't share is their currency. Even in countries where the currency has the same name, it does not have the same value. Below are the names of the monetary units of some Spanish-speaking countries.

If you go shopping in a Spanish-speaking country, you may see labels like these in a store window: 30,25; 4,50; 21,15. If they look strange, it's because Spanish uses a comma where English uses a period, and vice versa. One thousand in Spanish is 1.000.

Currency	Country
la peseta	España
el peso	Argentina, Colombia, México, Chile, Cuba, República Dominicana, Uruguay
el quetzal	Guatemala
el colón	El Salvador, Costa Rica
el lempira	Honduras
el guaraní	Paraguay
el córdoba	Nicaragua
el balboa	Panamá
el bolívar	Venezuela
el sucre	Ecuador
el sol	Perú
el dólar	Puerto Rico

Comprensión

1. Match each country with the name of the money it uses by writing the correct letter in the blank.

1. _____ Paraguay	a. el sol
2. _____ Costa Rica	b. el bolívar
3. _____ Venezuela	c. el quetzal
4. _____ España	d. el peso
5. _____ Perú	e. la peseta
6. _____ México	f. el guaraní
7. _____ Guatemala	g. el sucre
8. _____ Panamá	h. el balboa
9. _____ Ecuador	i. el colón

Investigación

Look up the currencies of the Spanish-speaking countries in the encyclopedia. Make a chart or collage of them.

VOCABULARIO

NUMBERS

cero *zero*

uno *one*	**once** *eleven*	**veintiuno** *twenty-one*
dos *two*	**doce** *twelve*	**veintidós** *twenty-two*
tres *three*	**trece** *thirteen*	**veintitrés** *twenty-three*
cuatro *four*	**catorce** *fourteen*	**veinticuatro** *twenty-four*
cinco *five*	**quince** *fifteen*	**veinticinco** *twenty-five*
seis *six*	**dieciséis** *sixteen*	**veintiséis** *twenty-six*
siete *seven*	**diecisiete** *seventeen*	**veintiseite** *twenty-seven*
ocho *eight*	**dieciocho** *eighteen*	**veintiocho** *twenty-eight*
nueve *nine*	**diecinueve** *nineteen*	**veintinueve** *twenty-nine*
diez *ten*	**veinte** *twenty*	**treinta** *thirty*

ARITHMETIC EXPRESSIONS

y *and, plus*	**dividido por** *divided by*
menos *minus*	**son** *equals, are*
por *times (×)*	**es** *equals, is*

IMPORTANT WORDS AND EXPRESSIONS

¿Cuánto cuesta? *How much is it?*
dincro *money*
más *more*
monedas *coins*
número *number*

¿Qué hora es?

Telling Time in Spanish

 ¿Qué hora es?

Es la una.

Son las dos.

Son las tres.

Son las cuatro.

Son las cinco.

Son las seis.

Now see if you can do the rest:

_____   _____   _____

Es mediodía (*noon*).
Es medianoche (*midnight*).

_____   _____

How do you say "What time is it?" in Spanish? _____

What Spanish word is used to express "it is" when saying "it is one o'clock"?

_____

What Spanish word is used to express "it is" when saying any other hour?

_____

How do you say "it is noon"? _____

How do you say "it is midnight"? _____

Now study these.

Es la una y veinte.

Son las dos y dieciséis.

Son las cuatro y veinticinco.

Son las nueve y diez.

How do you express time after the hour? _____

How would you say?

_____

_____

_____

_____

_____

_____

_____

3

Now study these.

Son las once menos cinco.   **Son las tres menos veinte.**

Son las diez menos veinte.   **Es la una menos siete.**

How do you express time before the hour? _____

Unlike English, Spanish does not have an equivalent for the expression "o'clock". Instead, it uses the definite article and a number (**la una**, **las dos**, etc.). **Es la** is used for one o'clock and its divisions (**Es la una**). For all other time expressions, use **Son las** (**Son las siete**).

To express time AFTER the hour up until and including half-past, use **y** and add the number of minutes (**Son las siete y cinco**).

After half-past, to express time BEFORE the next hour, use **menos** and subtract the number of minutes from that next hour (**Son las nueve menos cinco**).

How would you express these times?

_____

_____

_____

_____

_____

_____

_____

Now study these:

Es la una y cuarto.

Es la una menos cuarto.

Son las cinco y cuarto.   **Son las cinco menos cuarto.**

What is the special word for "a quarter"? _____

How do you say "a quarter after"? _____

How do you say "a quarter to"? _____

How would you express the following times?

4:15 _____

11:45 _____

3:45 _____

7:15 _____

9:45 _____

12:15 _____

Now study these:

Son las cinco y media.

Es la una y media.

What is the special word for "half past"? _____

How do you express "half past the hour"? _____

Express the following times.

[clock: 3:30] _____

[clock: 11:30] _____

[clock: 8:30] _____

[clock: 2:30] _____

The Spanish word for *quarter* is **cuarto**. *A quarter after* is expressed **... y cuarto**. *A quarter to* is expressed **... menos cuarto**.

The word for *half* is **media**. *Half past the hour* is expressed **... y media**.

ACTIVIDAD A

Write out these times in numbers.

EXAMPLE: Son las dos.   2:00

1. Es la una menos veinticinco. _____

2. Son las once y cuarto. _____

3. Es mediodía. _____

4. Son las diez menos once. _____

5. Son las nueve y cinco. _____

6. Es la una y media. _____

7. Son las tres y veinte. _____

8. Son las doce menos cuarto. _____

ACTIVIDAD ß

Here are some clocks. What time does each show?

1. _____   2. _____

3. _____

4. _____

5. _____

6. _____

7. _____

8. _____

9. _____

10. _____

ACTIVIDAD C

Here are some broken clocks. Each one has the minute hand missing. Can you tell where each one belongs?

1. Son las dos.

2. Son las nueve y once.

3. Son las cuatro y media.

4. Son las tres y cuarto.

5. Son las seis menos veinticinco.

6. Son las once y cinco.

7. Son las cinco menos diez.

8. Es medianoche.

9. Es la una y cuarto.

6

Now you know what to say when someone asks **¿Qué hora es?** But how do you reply if someone asks **¿A qué hora?** (*At what time?*)? Look at these questions and answers.

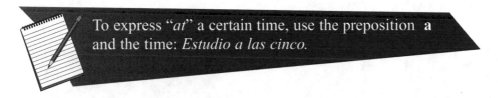

¿A qué hora tomas el almuerzo?	*At what time do you have lunch?*
Tomo el almuerzo a la una.	*I have lunch at one o'clock.*
¿A qué hora preparas la tarea?	*At what time do you prepare your homework?*
Preparo la tarea a las cinco y media.	*I prepare my homework at five thirty.*

If you want to express "at" a certain time, which Spanish word do you use before the time? _____

To express "*at*" a certain time, use the preposition **a** and the time: *Estudio a las cinco.*

Following the examples above. Complete the following sentences indicating a specific time.

1. Estudio la lección _____.

2. Miro la televisión _____.

3. Escucho música _____.

4. Entro en la escuela _____.

5. Camino en el parque _____.

7

If you want to be more specific about the time of day, here is what you do:

Yo tomo el autobús a las siete y media de la mañana.
Mi padre llega del trabajo a las seis de la tarde.
Nosotros miramos la televisión a las ocho de la noche.

How do you express "in the morning" or "A.M." in Spanish? _____
How do you express "in the afternoon" or "P.M."? _____
How do you express "in the evening"? _____

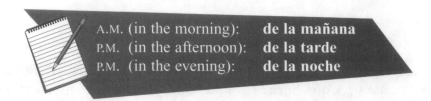

A.M. (in the morning): **de la mañana**
P.M. (in the afternoon): **de la tarde**
P.M. (in the evening): **de la noche**

Complete the following:

1. María toma el tren a las _____. (8:00 A.M.)
2. Comemos a las _____. (3:30 P.M.)

ACTIVIDAD D

Here are some daily activities. Choose the most likely answer to the question **¿Qué hora es?** and write it in numbers.

Es la una y media de la tarde.
Son las siete de la mañana.
Son las tres de la tarde.

1. _____ 7:00 A.M. _____

Son las siete y media de la noche.
Son las cuatro de la tarde.
Son las siete y cuarto de la mañana.

2. _____

Son las ocho y diez de la mañana.
Son las once de la noche.
Es la una y cuarto de la tarde.

3. _____

Son las ocho de la noche.
Son las seis de la mañana.
Son las dos de la tarde.

4. _____

Son las siete de la noche.
Son las dos de la tarde.
Es mediodía.

5. _____

Son las dos y media de la tarde.
Son las ocho y cinco de la noche.
Son las nueve menos cinco de la mañana.

6. _____

Son las tres de la tarde.
Son las once y media de la mañana.
Son las dos menos veinte de la tarde.

7. _____

Son las seis de la noche.
Son las diez menos diez de la noche.
Es la una de la mañana.

8. _____

Son las cuatro menos diez de la tarde.
Es mediodía.
Son las diez y cuarto de la noche.

9. _____

Es medianoche.
Son las diez y cinco de la mañana.
Son las nueve y media de la mañana.

10. _____

ACTIVIDAD E

Your school counselor has asked for your class schedule. Prepare it.

EXAMPLE: español   La clase de español es a las diez menos diez.

1. inglés _____

2. historia _____

3. matemáticas _____

4. música _____

5. biología _____

6. arte _____

Pronunciación

Letter	Pronunciation	English examples of sound	Spanish examples
ll	y	yes	tortilla amarillo, millonario

La tortilla está en la silla amarilla.

Now read this dialog and answer the questions that follow.

¿Qué hora es?

JUAN: Mamá, **¿qué hora es?**

MAMÁ: ¿No escuchas la radio? **Son las nueve y media**, hijo.

JUAN: **¿Las nueve y media?** Es imposible. En mi reloj **son las ocho y diez**.

MAMÁ: Tu reloj no funciona bien. Necesitas otro reloj. ¿Por qué no compras un reloj nuevo?

JUAN: Sí, sí, necesito un reloj nuevo. Pero ahora es tarde y tengo un examen en mi clase de inglés hoy a las **diez**.

MAMÁ: ¿Hoy? ¿Un examen de inglés? ¡Pero hoy es sábado! El sábado no hay clases en la escuela.

JUAN: ¿Es sábado hoy? ¡Qué sorpresa! Sí, gracias a Dios, es sábado.

en *on*
el reloj *watch*

funcionar *to work*
¿por qué? *why?*

nuevo *new*
ahora *now*
tarde *late*
hoy *today*
sábado *Saturday*
Gracias a Dios
  Thank God,
  Thank goodness

ACTIVIDAD F

Answer the questions in Spanish.

1. ¿Qué le pregunta Juan a la mamá?

_____

2. ¿Qué hora es en el reloj de Juan?

_____

3. ¿Qué hora es en la radio?

_____

4. ¿Por qué necesita Juan un reloj nuevo?

_____

5. ¿En qué clase hay un examen?

_____

6. ¿Por qué no hay clases hoy?

_____

CONVERSACIÓN

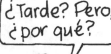

Vocabulario

en casa de *at the house of*

el viernes *Friday*

el sábado *Saturday*

DIÁLOGO

Complete the dialog using the suitable expressions.

INFORMACIÓN PERSONAL

1. ¿Qué hora es ahora?

_____

2. ¿A qué hora llegas a la escuela?

_____

3. ¿A qué hora entras en tu clase de español?

_____

4. ¿A qué hora entras en tu clase de inglés?

_____

5. ¿A qué hora preparas la tarea?

_____

PRACTÍCALO

1. You do certain things at the same time every day. Say at what time you usually do the following:

   EXAMPLE: tomar el autobús
   Tomo el autobús a las siete y media de la mañana.

   1. llegar a la escuela
   2. entrar a la clase de español
   3. hablar con tu amigo por teléfono
   4. escuchar la radio
   5. preparar la tarea
   6. llegar a casa
   7. mirar tu programa favorito de televisión
   8. estudiar las lecciones de español

2. Tell how you spend the day. Write complete sentences indicating what you do at a particular time. Report on as many activities as you can.

CÁPSULA CULTURAL

Las comidas

It has often been said that the people of Spain and Latin America are different from others not only in what they eat but also when they eat.

El desayuno (*breakfast*) is served between seven and nine o'clock in the morning. A typical Spanish breakfast is usually light, consisting perhaps of **pan tostado con mantequilla** (*toast and butter*) and **café con leche** (*coffee with hot milk*). Typically Spanish is a breakfast of **chocolate caliente** (*thick hot chocolate*) **con churros**.

Churros are long skinny strips of dough, which are fried in vats of very hot oil. The dough is squeezed out of a special machine in the shape of a spiral (some one yard long.) The spirals of fried dough are removed from the oil, cut into pieces, and then sprinkled with powdered sugar. **Churros** may be eaten as a snack at any time. Most people in Spain and other Spanish-speaking countries prefer to have their **churros** in the morning with their coffee or hot chocolate.

Lunch (called **el almuerzo** in Latin America and **la comida** in Spain) is the biggest meal of the day and is eaten generally between noon and 2:00 P.M. Unlike our quick sandwich and soda or fast-food burger and fries, lunch is a full meal in many places, consisting of soup, meat or fish, vegetables, salad, and dessert.

Supper (called **la cena** in Spain and **la comida** in Latin America) is not usually eaten earlier than 7:00 P.M. and often not until 9 or 10 o'clock at night.

This meal schedule leaves a large gap of time between lunch and supper without food. How is this problem solved? We will find out in another **Cápsula cultural**.

Comprensión

1. _____ is served between 7:00 and 9:00 in the morning.

2. **Chocolate con churros** consists of _____.

3. In Spain **la comida,** is _____. In Latin America it is
   _____.

4. The biggest meal of the day is _____.

5. Supper is eaten very _____.

Investigación

Compare the eating times of the Spanish-speaking peoples with our own. What are
the benefits or advantages of each?

VOCABULARIO

TIME EXPRESSIONS

a la una *at one o'clock*
a las dos *at two o'clock*
¿Qué hora es? *What time is it?*
Son las dos. *It's two o'clock.*
Son las dos menos cinco. *It's five to two.*
Son las dos y cuarto. *It's a quarter after two.*
Son las dos menos cuarto. *It's a quarter to two.*
Son las dos y media. *It's half past two.*
Son las dos de la mañana. *It's two o'clock A.M.*
Son las dos de la tarde. *It's two o'clock P.M.*
Son las diez de la noche. *It's ten o'clock in the evening.*

IMPORTANT WORDS

ahora *now*
hoy *today*
la mañana *morning*
mañana *tomorrow*
el reloj *watch*
la tarde *afternoon*
tarde *late*

7

Otras actividades

-ER Verbs

1 Vocabulario

This new group of verbs belongs to the **-ER** conjugation. Can you guess their meanings?

aprender

beber

comer

comprender

correr

creer

115

leer

responder

vender

ver

2

You probably noticed that these verbs don't end in **-AR** but in _____.

You will recall how we made changes in **-AR** verbs by dropping the **-AR** and adding certain endings. Well, we must do the same with **-ER** verbs, but the endings are slightly different. Let's see what happens. Read the conversation, look for the **-ER** verbs, and try to spot the endings.

PEDRO:	Juan, ¿qué **lees**?
JUAN:	**Leo** una novela para mi clase de inglés. ¿Qué **leen** ustedes?
PEDRO Y LILIANA:	Nosotros **leemos** una novela también.
JUAN:	¿Oh sí? **Creo** que todos los alumnos de la señora Rice **leen** mucho.
PEDRO:	La señora Rice **cree** que si usted no **lee**, no **aprende**.
LILIANA:	Si no **aprende** no pasa el curso.
TODOS:	¡Ay, ay, ay! **Comprendemos**.

mucho *a lot*

si *if*

Using the examples in the conversation above, fill in the correct endings of the verb **leer**.

yo le_____	*I read, I am reading*
tú le_____	*you read, you are reading* (familiar singular)
usted le_____	*you read, you are reading* (formal singular)
él le_____	*he reads, he is reading*
ella le_____	*she reads, she is reading*
nosotros⎫ nosotras⎭ le_____	*we read, we are reading*
ustedes le_____	*you read, you are reading* (plural)
ellos⎫ ellas⎭ le_____	*they read, they are reading*

ACTIVIDAD A

Match the sentences with the pictures they describe.

Nosotros leemos el periódico.
El bebé bebe la leche.
Los perros aprenden a bailar.
Los muchachos comen en la cafetería.

El señor Pérez vende frutas.
Tú corres por el parque.
Julia no comprende.
Yo respondo bien en clase.

1. _____

2. _____

3. _____

4. _____

5. _____

6. _____

7. _____

8. _____

3

Let's practice some other **-ER** verbs:

	responder	comprender	creer
yo	_____	_____	_____
tú	_____	_____	_____
usted	_____	_____	_____
él	_____	_____	_____
ella	_____	_____	_____
nosotros	_____	_____	_____
nosotras	_____	_____	_____
ustedes	_____	_____	_____
ellos	_____	_____	_____
ellas	_____	_____	_____

ACTIVIDAD ß

You and your friends are working in a department store for the summer. What are you selling?

EXAMPLE: yo / platos
Yo vendo platos.

1. Carlos / discos _____

2. tú / televisores _____

3. nosotros / libros _____

4. María y Ana / blusas _____

5. usted / sombreros _____

6. Rosa / bicicletas _____

ACTIVIDAD C

It's lunch time and you and your friends tell each other what you are eating.

EXAMPLE: Claudio / una banana
Claudio come una banana.

1. yo / un sandwich _____

2. Jorge y José / frutas _____

3. tú / una hamburguesa _____

4. Ramona / una ensalada _____

5. nosotros / chocolate _____

6. usted / pollo _____

4

There are other **-ER** verbs which differ slightly from the pattern we have just learned. Three important ones are:

querer   *to want*
saber   *to know (something)*
ver   *to see*

First, lets examine **saber** and **ver**:

yo	sé	yo	veo
tú	sabes	tú	ves
usted	sabe	usted	ve
él ella	} sabe	él ella	} ve
nosotros nosotras	} sabemos	nosotros nosotras	} vemos
ustedes	saben	ustedes	ven
ellos ellas	} saben	ellos ellas	} ven

Did you notice that the only irregular form in both verbs is **yo**?

Yo sé.
Yo veo (does not drop the *-e* of the ending).

Let's do a few examples. Write the correct form of the verb **saber**.

1. Carlos _____ la lección.

2. Ellos no _____ la dirección.

3. ¿_____ usted la hora?

4. Yo no _____ .

5. Niño, tú _____ mucho.

Now, write the correct form of **ver**.

1. ¿_____ usted la casa?

2. Yo no _____ la escuela.

3. Alejandro y yo _____ la televisión.

4. Ellas _____ el problema.

Next, let's look at the verb **querer**.

yo	**quiero**
tú	**quieres**
usted	**quiere**
él ⎫ **ella** ⎭	**quiere**
nosotros(as)	**queremos**
ustedes	**quieren**
ellos ⎫ **ellas** ⎭	**quieren**

Here we see a different kind of change.

In all its forms (except **nosotros(as)** — *we*) there is an extra letter (which one?) The expected *e* becomes *ie*.

Now let's see if you can do some. What do these people want? Complete the sentences with the correct forms of **querer**.

1. Tú _____ un gato.

2. Él _____ una bicicleta.

3. Ud. _____ una radio.

4. Yo _____ una flor.

5. Nosotros _____ hablar español.

Read the following conversation. See if you can find all the forms of **querer**.

La persona más importante

MAMÁ:	Mañana vamos a un picnic. ¿Qué quieren comer ustedes?	**vamos** *we are going*
JUAN:	Yo quiero pizza con soda.	
MARÍA Y ROSA:	Nosotras queremos tacos y hamburguesas.	
MAMÁ:	Y tú, Jaime, ¿qué quieres comer?	
JAIME:	Yo quiero un sandwich.	
María:	Mamá, mis amigas Luisa y Marta quieren ir.	
Mamá:	Está bien. Ahora quiero hablar con la persona más importante.	**más** *most, more*
TODOS:	¿Quién es la persona más importante?	
MAMÁ:	Tú papá. ¡Él ticne el automóvil!	**él tiene** *he has*

ACTIVIDAD D

You and your friends are discussing what to do this weekend. Write sentences with the correct form of **querer**.

EXAMPLE: Gabriela / comer pizza
Gabriela *quiere* comer pizza.

1. Mario / practicar fútbol

_____

2. Tú / comprar un disco

_____

3. Uds. / mirar televisión

_____

4. María / visitar un museo

_____

5. Yo / correr en el parque

_____

5

Now let's compare an **-AR** verb with an **-ER** verb. How are they similar and how are they different?

	trabajar	aprender
yo	trabajo	aprendo
tú	trabajas	aprendes
usted	trabaja	aprende
él	trabaja	aprende
ella	trabaja	aprende
nosotros	trabajamos	aprendemos
nosotras	trabajamos	aprendemos
ustedes	trabajan	aprenden
ellos	trabajan	aprenden
ellas	trabajan	aprenden

Notice that the **yo** form has the same ending in both the -**AR** and -**ER** verbs: **yo trabajo**, **yo aprendo**. In all other forms, however, the -**AR** verbs have endings in *a* or that begin with *a* while the -**ER** verbs have endings in *e* or that begin with *e*.

ACTIVIDAD E

Fill in the correct subject pronouns.

EXAMPLE: usted, él, ella habla

1. _____ buscas
2. _____ comprendo
3. _____ ven
4. _____ visitamos
5. _____ come

6. _____ llega
7. _____ trabajamos
8. _____ venden
9. _____ contesto
10. _____ crees

ACTIVIDAD F

Tell what each member of the family is doing. Add the correct forms of the verbs.

1. (visitar) Mis tíos _____ a mis padres.
2. (comer) Mi hermano _____ una banana.
3. (leer) Mi papá _____ el periódico.
4. (beber) Nosotros _____ café.
5. (escuchar) Usted _____ un programa en la radio.
6. (ver) Yo _____ a mi perro en el jardín.
7. (querer) Tú _____ una novela para leer.
8. (correr) Los gatos _____ por la casa.
9. (saber) Yo _____ la lección para mañana.
10. (aprender) El bebé _____ a caminar.

ACTIVIDAD G

Complete these sentences with the correct Spanish form of the verb in parentheses. Refer to pages 120, 122 if you need help.

1. (*learn*) Nosotros _____ a bailar.
2. (*sell*) Juanito _____ su bicicleta.
3. (*run*) Mi gato _____ en casa.
4. (*eat*) Ellos _____ rápidamente.
5. (*answer*) Mi hermana _____ el teléfono.
6. (*know*) Yo no _____, señor.
7. (*want*) Ustedes _____ comer.
8. (*see*) Tú _____ a mi papá.
9. (*buy*) Los turistas _____ mucho.
10. (*study*) Las alumnas _____ la lección.
11. (*understand*) El muchacho _____ al profesor.
12. (*read*) Nosotras _____ todos los días.

6 There are two important points of grammar you must learn: the contraction **al** and the personal **a**. First, the basic meaning of the preposition **a** is *to*:

Ellos caminan a la estación.   *They walk to the station.*
Yo corro a la calle.   *I run to the street.*

If the preposition **a** comes directly before the article **el** (*the*), the two words combine to form the word **al** (**a + el = al**).

Ella camina *al* parque.   *She walks to the park.*
(**a + el parque = *al* parque**)

Complete the following sentences inserting the preposition **a**. If *al* is needed, cross out **el**.

1. Ellos caminan _____ la tienda.
2. Corremos _____ el parque.
3. Tú llegas _____ la estación.
4. Vamos _____ cine.

There's another important use of the preposition **a**, the personal **a**. Look at these sentences:

Yo no comprendo a mi papá.   *I don't understand my father.*
Tú le contestas a la profesora.   *You answer the teacher.*
Rosa ve a su perro.   *Rosa sees her dog.*

Which is the extra word in the Spanish sentences for which there is no equivalent in the English sentences? _____

 When the object of a verb is a person or a pet (**mi papá,** **la profesora, su perro**), the preposition **a** comes before the object even though the **a** has no equivalent in English.

Complete the following sentences inserting the preposition **a** when needed.

1. I see the houses.   Veo _____

2. I see the boys.   Veo _____

3. I visit the school.   Visito _____

4. I visit my friend.   Visito _____

ACTIVIDAD H

Complete the following sentences using the personal **a** when needed. If the personal **a** is not needed, leave the blank empty. If **al** is needed, cross out **el**.

1. Comprendemos _____ el español.

2. Comprendemos _____ la profesora.

3. Yo no veo _____ el actor.

4. Yo no veo _____ el avión.

5. Los alumnos escuchan _____ la radio.

6. Los alumnos escuchan _____ el señor Mendoza.

7. María visita _____ la directora.

8. María visita _____ el museo.

9. No comprendo _____ mi amigo.

10. No comprendo _____ la pregunta.

Pronunciación

Letter	Pronunciation	English examples of sound	Spanish examples
ñ	ni, ny	canyon, onion	español, mañana, señora

La niña tiene una muñeca española.

Pepe y su perro

Pepe, un muchacho de doce años, tiene un perro que se llama Lobo. Lobo es un perro muy inteligente, y **aprende** rápidamente.

Pepe ayuda a sus padres. Trabaja en un supermercado todos los días. Lobo **quiere correr** en el parque y espera a Pepe en casa.

Cuando **ve** al muchacho, **quiere** salir a la calle.

—¡Lobo, **corre** al parque! El perro **comprende** y **responde**:— ¡Guau, guau!

A las seis de la tarde, Pepe y Lobo entran en la casa. Pepe **come** pizza, el perro también. (¿Un perro que **come** pizza? ¿Es posible?)

Cuando Pepe prepara las tareas para la escuela, Lobo **comprende** que el muchacho necesita estudiar y espera con paciencia.

ACTIVIDAD I

Complete the sentences based on the story you have just read.

1. Pepe es un muchacho de _____ años.
2. Lobo es _____ de Pepe.
3. Lobo es _____.
4. Para ganar dinero, Pepe _____.
5. Lobo espera a Pepe _____.
6. Cuando Pepe llega, Lobo quiere _____.
7. A las seis Pepe y Lobo _____ pizza.

CONVERSACIÓN

Vocabulario

bonito	*pretty*	**valen**	*(they) are worth*
la cosa	*thing*	**medio**	*half*
el perrito	*puppy*	**cada**	*each*

DIÁLOGO

Complete the dialog.

INFORMACIÓN PERSONAL

1. ¿Crees que el español es difícil?

_____

2. ¿Cómo respondes en la clase?

_____

3. ¿Qué libros lees?

_____

4. ¿Qué bebes en la cafetería de la escuela?

_____

5. ¿Qué programas quieres ver en la televisión?

_____

PRACTÍCALO

1. When and where do you do what? State what you do at different times and where you do it. Be as elaborate as you can, for example: **A la una como en la cafetería y hablo con mis amigos**.

2. Your school counselor wants to find out a few things about your personality. Write five sentences about yourself using some of the verbs below (or others). Write each sentence in a way that tells her something about you.

EXAMPLE: Leo muchos libros.

aprender, correr, responder, trabajar, escuchar, ver

CÁPSULA CULTURAL

Tapas anyone?

Feeling hungry? It's after 6:00 and hours before supper time. In Spain or Latin America supper is not served until after 9:00 P.M. What to do? To fill the long gap of time between the meals of lunch and supper, a late afternoon snack called **la merienda** was devised. The people of Madrid, for example, go to snack bars called **tascas** to feast on **tapas**—small portions of food similar to hors d'oeuvres, piled high in little dishes along the bars. These tidbits of cheese, meat, or seafood on toothpicks are set out in large trays and eaten as snacks with wine. There are platters of grilled shrimp, stuffed olives and mushrooms, spicy sausage bits, potato omelet wedges, shish kebobs, plates of mussels and squid.

Tapa, which means "lid" or "cover," comes from a tradition started hundreds of years ago in Spain. When you went into a Spanish inn and ordered a glass of wine, it was the custom to cover the glass with a piece of bread to keep the flies out. Innkeepers got more elaborate by putting pieces of food on top of the bread. In time, the bread was replaced by a dish with small portions of food. Today a customer chooses what he or she likes and asks for **una ración**, a portion. One can go from **tasca** to **tasca** and order a glass of wine and some **tapas** in each one. A snack bar will sometimes give a dish a humorous name. In one place, the **pescaditos fritos** (*small fried fish*) are called "**los que no quiere el gato**" (*those which the cat doesn't want*). In the hours before Spain's late supper, the tapas bars are filled with young and old alike.

Getting hungry? Be careful. Once you start nibbling on this endless variety of tasty snacks, it's very hard to stop.

Here is a sampling of tapas:

Gambas a la plancha (*large grilled shrimp*)
Aceitunas rellenas (*stuffed olives*)
Chorizos calientes (*fried sausages*)
Calamares en su tinta (*boiled squid*)
Tortilla de patatas (*potato and onion omelet*)

Comprensión

1. In Spain and Latin America, supper is often not served until after
   _____.

2. The **merienda** is _____.

3. Hundreds of years ago, it was the custom to cover a glass of wine with
   _____.

4. **Una ración** is _____.

5. **Chorizos** are Spanish _____.

Investigación

Find out more about Spanish cooking. How does it differ from Mexican food? What are some Spanish specialties—**arroz con pollo**, **paella**, etc.?

VOCABULARIO

IMPORTANT WORDS

aprender *to learn*
beber *to drink*
comer *to eat*
comprender *to understand*
correr *to run*

creer *to believe*
leer *to read*
querer *to want*
responder *to answer*
saber *to know*

vender *to sell*
ver *to see*
bonito(a) *beautiful, pretty*
cada *each*
medio(a) *half*

La descripción

How to Describe Things In Spanish

1 Vocabulario

Can you figure out the color of each object?

El tomate es rojo.

La banana es amarilla.

El gato es negro.

La leche es blanca.

El chocolate es marrón.

La naranja es anaranjada.

El elefante es gris.

La planta es verde.

La bandera es roja, blanca y azul.

ACTIVIDAD A

Change the words in bold type to make the sentences true.

1. El tomate es **amarillo**.

   _____

2. La banana es **roja**.

   _____

3. La leche es **anaranjada**.

   _____

4. La planta es **blanca**.

   _____

5. La aspirina es **roja**.

   _____

6. La naranja es **azul**.

   _____

7. El café con leche es **negro**.

   _____

8. El limón es **marrón**.

   _____

2

Colors are adjectives. Adjectives describe people and things. Have you been observant? How do you say in Spanish "The tomato is red"? _____
What gender is **el tomate**? _____ Which letter does the Spanish masculine form of *red* end in? _____

Adjectives that end in **-o** when describing a masculine noun end in **-a** when describing a feminine noun.

El automóvil es blanco. *The car is white.*
La pluma es blanca. *The pen is white.*

What happens when the adjective doesn't end in **-o**? Let's look again at the examples:

El limón es *verde*. **La hoja es *verde*.**
El cielo es *azul*. **La bandera es roja, blanca y *azul*.**

What do you notice about the adjectives ***verde*** and ***azul***? _____

When an adjective in the masculine ends in any letter other than **-o**, the feminine form is the same.

NOTE: There is one important exception. Most adjectives of nationality, whatever their masculine form, have feminine forms ending in **-a**:

español	**española**	*Spanish*
francés	**francesa**	*French*
alemán	**alemana**	*German*

EXAMPLES: **Juan es *español*; Juana es *española*.**
Pierre es *francés*; Monique es *francesa*.

ACTIVIDAD ß

¿De qué color? What color are some of the things you own?

1. Mi bicicleta es _____.

2. Mi libro de español es _____.

3. Mi cuaderno de español es _____.

4. Mi casa es _____.

5. Mi lápiz es _____.

Colors are not the only adjectives that describe things. Here are a few more.

bonita

feo

grande

pequeño

inteligente

tonto

rico

pobre

moreno

rubio

gordo

flaco

fuerte

débil

alto

bajo

largo

corto

fácil

difícil

viejo

joven

nuevo

ACTIVIDAD C

Here's a list of Spanish adjectives that are similar to English adjectives. Use each with a singular noun. Do not use the same noun more than once.

EXAMPLE: un hombre argentino
una señorita argentina

1. argentino(a) _____

2. atractivo(a) _____

3. delicioso(a) _____

4. diferente _____

5. elegante _____

6. excelente _____

7. famoso(a) _____

8. horrible _____

9. inmenso(a) _____

10. importante _____

ACTIVIDAD D

You are making some observations about people and things. Complete the sentence with the correct form of the adjective.

1. Jorge es rico; Carmen también es _____.

2. Mi hermano es alto; mi hermana también es _____.

3. La casa es bonita; el jardín también es _____.

4. El español es fácil; la biología también es _____.

5. El taxi es amarillo; la banana también es _____.

6. La hamburguesa es deliciosa; el sandwich también es _____.

7. El presidente es importante; la secretaria también es _____.

8. La novela es magnífica; el programa también es _____.

9. Juan es moreno, Lola también es _____.

10. El tigre es fuerte; la pantera también es _____.

ACTIVIDAD E

You are asked to give your opinion about some people and things. Complete the sentence with the correct Spanish form of the adjective in parentheses.

1. (*big*) El restaurante es _____.

2. (*important*) El español es una lengua _____.

3. (*difficult*) La pregunta no es _____.

4. (*immense*) El parque es _____.

5. (*elegant*) La profesora es _____.

6. (*small*) Mi madre es _____.

7. (*Spanish*) La bandera es _____.

8. (*strong*) El tigre es _____.

9. (*fat*) Mi tío es _____.

10. (*weak*) Mi hermano es muy _____.

4 You already know that adjectives agree in gender with the nouns they describe. Now look at these sentences:

I	II
El tomate es rojo.	**Los tomates son rojos.**
La banana es amarilla.	**Las bananas son amarillas.**

How many things are we describing in Group I? _____ How many things are we describing in Group II? _____ Which letter did we add to the adjective to express that we are describing more than one? _____

Complete these sentences:

La hoja es verde.　　　　　　Las hojas son _____.
Mi hermano es moreno.　　　　Mis hermanos son _____.

Now look at these examples:

La bicicleta es azul.　　　　**Las bicicletas son azules.**
El muchacho es popular.　　　**Los muchachos son populares.**

Which letters did we add to the adjectives to express that we are describing more than one? _____

Complete these sentences:

El profesor es español.   Los profesores son _____.
La lección es fácil.   Las lecciones son _____.

Adjectives in Spanish agree in GENDER (masculine or feminine) and NUMBER (singular or plural) with the person or thing they describe. If the adjective ends in a vowel, add **s** in the plural. If the adjective ends in a consonant, add **es** in the plural.

5

One more point. Where are adjectives placed in Spanish? Usually AFTER the noun:

Tengo un lápiz *negro*.   *I have a black pencil.*
Preparo una lección *difícil*.   *I'm preparing a difficult lesson.*
Los perros *grandes* comen mucho.   *Large dogs eat a lot.*

Describe each noun with a Spanish adjective.

1. el gato _____   4. el jardín _____
2. el presidente _____   5. la leche _____
3. el autobús _____

ACTIVIDAD F

Now use each adjective with a plural noun.

EXAMPLE: el perro inteligente
           los perros inteligentes

1. inteligente _____
2. interesante _____
3. magnífico(a) _____
4. moderno(a) _____
5. necesario(a) _____
6. normal _____

7. ordinario(a) _____

8. perfecto(a) _____

9. popular _____

10. romántico(a) _____

ACTIVIDAD G

Match the sentences with the correct pictures.

La señora rica toma un taxi.
Usted tiene dos gatos flacos.
José es bajo y María es alta.
Mis hermanos son jóvenes.
El señor lleva un sombrero negro.

La pregunta es difícil.
Como un sandwich delicioso.
Mis abuelos son viejos.
La pizarra es inmensa.
El jardín tiene rosas blancas.

1. _____

2. _____

3. _____

4. _____

5. _____

6. _____

7. _____   8. _____

9. _____   10. _____

ACTIVIDAD H

Match the adjectives in the right column with the nouns on the left. Write the matching letter in the space provided.

1.	los gatos	_____	**6.**	los hoteles	_____
2.	la calle	_____	**7.**	el monstruo	_____
3.	las plantas	_____	**8.**	la lección	_____
4.	el restaurante	_____	**9.**	los periódicos	_____
5.	el café	_____	**10.**	la leche	_____

a. feo
b. blanca
c. flacos
d. populares
e. pequeño
f. modernos
g. negro
h. difícil
i. tropicales
j. famosa

ACTIVIDAD I

Underline the adjective that correctly describes the subject.

1. La avenida es (grande, grandes).
2. Mi hermana María es (bonito, bonitos, bonita, bonitas).
3. Los hombres son (rico, rica, ricos, ricas).
4. Las lecciones son (difícil, difíciles).

5. Los árboles son (verde, verdes).
6. El gato es un animal (pequeño, pequeña, pequeños, pequeñas).
7. El señor López es un profesor (inteligente, inteligentes).
8. Yo bebo café (italiano, italiana, italianos, italianas).
9. Tengo una pluma (rojo, roja, rojos, rojas).
10. Estudio en una escuela (importante, importantes).

Pronunciación

Letter	Pronunciation	English examples of sound	Spanish examples
qu (before e, i)	k	Albuquerque	tequila, que, queso

Enrique quiere una quesadilla.

Here's a story with lots of adjectives:

El Bosque de Chapultepec

La ciudad de México es la ciudad más **grande** del mundo. En la ciudad hay muchas cosas **interesantes**: hoteles **modernos**, teatros **importantes**, restaurantes **excelentes** y parques **bonitos**.

Un parque **famoso** es el Bosque de Chapultepec. Es el parque más **grande** y más **visitado** de una ciudad. Dentro del parque **enorme** hay ocho museos, tres lagos, un zoo, un parque de atracciones, una sala para conciertos, una residencia para el presidente, un castillo y un jardín **botánico**. El jardín es un festival de colores. Hay flores **rojas**, **blancas**, **amarillas** y **rosadas** y plantas **verdes** de todas clases.

En una ciudad con mucho ruido, mucho tráfico y mucha contaminación del aire a causa de tantos automóviles, el parque es un oasis de aire **puro** y de paz.

la ciudad más grande *the biggest city*
el mundo the world

dentro *within*

atracciones *amusement*
sala *hall*

ruido *noise*
a causa de *because* of
la paz *peace*

ACTIVIDAD J

Complete the sentences based on the story you have just read.

1. La ciudad de México es la ciudad _____ _____ del mundo.

2. En la capital hay hoteles _____ y restaurantes _____.

3. Un parque famoso de la ciudad es el _____.

4. Dentro del parque hay _____ museos, _____ lagos, una sala para _____, una residencia para el _____ y _____ castillo.

5. En el _____ hay muchos animales exóticos.

6. En un jardín botánico hay muchas _____ y _____.

7. Rojo, blanco, amarillo, verde y rosado son _____.

8. En una ciudad grande hay mucho _____ y _____.

9. Los automóviles causan _____.

10. Los parques con plantas y árboles son importantes para tener aire _____.

ACTIVIDAD K

Answer each question with a complete Spanish sentence.

1. ¿La ciudad de Nueva York es grande o pequeña?

_____

2. ¿Las lecciones de español son fáciles o difíciles?

_____

3. ¿Desea usted un automóvil moderno o antiguo?

_____

4. ¿De qué color son las hojas de los árboles en la primavera?

_____

5. ¿El libro de español es nuevo o viejo?

_____

6. ¿De qué color es el cielo?

_____

7. ¿Cree usted que el chocolate es delicioso?

_____

8. ¿Estudia usted en una escuela francesa?

_____

9. ¿De qué color son las paredes de la clase?

_____

10. ¿De qué color son los taxis en tu ciudad?

_____

ACTIVIDAD L

You are the editor of the school yearbook. Here are the names of some friends you have to describe. Use two or three adjectives in each case.

1. Roberto es _____.

2. Daniel y Rafael son _____.

3. Dolores es _____.

4. Carmen y Ana son _____.

Para conversar en clase

¿Quién es? Describe someone in the class without saying his/her name. Use as many adjectives as possible. The one who discovers the mystery person has the next turn.

CONVERSACIÓN

Vocabulario

Disculpe usted. *Excuse me.*	**Muchísimas gracias.** *Thank you very much.*
cerca de *near*	**cl joven** *young man*
lejos de *far from*	**Para servirle.** *At your service.*

DIÁLOGO

Complete the conversation with expressions you have learned so far.

INFORMACIÓN PERSONAL

1. ¿De qué color es el libro de español?

    _____

2. ¿Quién (*who*) es popular en la clase de español?

    _____

3. ¿Crees que la clase de español es interesante?

    _____

4. ¿Crees que el perro es un animal inteligente?

    _____

5. ¿De qué color es tu flor favorita?

    _____

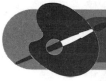

PRACTÍCALO

1. You want to join an exclusive club and are asked to give a brief description of yourself. Using some of the adjectives you have learned, write five sentences about yourself.
2. Review lessons 5-8 and make a list of what you think was difficult for you. Formulate your own rules and possible solutions to your problems. Share your report with your teacher or classmates.
3. Using cardboard, paste pictures of two persons (neighbors, family members, famous actor/singer) or two animals or things and write a description as accurate as you can. You may also combine one person / one animal, if you wish.
4. Without looking at the book, make four groups of words according to the following topics: numbers, time, activities, and description. For the numbers, you may just pick two telephone numbers you know and write them out in Spanish, digit by digit. Use any technique you wish to test yourself on telling the time, but you may combine activities, description, and time. Here is an example: **El atleta alto corre en el parque a las cinco y media.** (*The tall athlete runs in the park at five thirty.*)

CÁPSULA CULTURAL

Relaxing in the Park

When Queen Isabel II opened **El Parque del Retiro** in 1868 to the people of Madrid, it was on the outskirts of a small city. Today, this 353 acre park, Madrid's prettiest and most popular, is surrounded by a large and noisy metropolis. It is a welcome retreat from the hustle and bustle of the growing capital.

Madrileños come to admire the thousands of roses of every hue in the large rose garden, play and picnic in the shade of the pine and chestnut trees, stroll on the many secluded walks and pathways, enjoy after-lunch siestas on the spacious lawns, read on the benches, while children enjoy themselves in the play areas. Passers-by are entertained by jugglers, magicians, and puppet shows. At night there are often fireworks displays.

The park contains a botanical garden (**El Jardín Botánico**) with 30,000 species of plants and trees from all over the world. The park spreads around a huge rectangular lake (**El Estanque Grande**) where the people, in rented boats, can row to the statue of Alfonso XII in the middle of the lake. Among the park's other attractions are places in which art shows and exhibitions are held, outdoor cafes, and even nightclubs!

El Parque del Retiro makes living in Spain's busy capital just a little bit easier and a lot more pleasant.

Comprensión

1. El Parque del Retiro was open to the public in _____

2. Some of the activities enjoyed in the park are _____, _____, and _____

3. There are 30,000 species of plants and trees in _____

4. El Estanque Grande is a huge rectangular _____

5. The park contains palaces, cafes, and even _____

Investigación

Why are parks and recreational areas important in our urban environment? What purposes do they serve? What are some of the important parks in our country? Where are they located? Where is the park in your neighborhood?

VOCABULARIO

COLORS

amarillo(a) *yellow*
anaranjado(a) *orange*
azul *blue*
blanco(a) *white*
gris *gray*
marrón *brown*
negro(a) *black*
rojo(a) *red*
verde *green*

ADJECTIVES

bajo *short*
bonito(a) *beautiful, pretty*
corto *short*
difícil *difficult*
tonto(a) *silly, fool*
fácil *easy*
feo(a) *ugly*
flaco(a) *skinny, slim*
fuerte *strong*
inteligente *intelligent*
gordo(a) *fat*

grande *big*
joven *young*
largo(a) *long*
moreno(a) *brunette*
nuevo(a) *new*
pequeño(a) *small*
pobre *poor*
rico(a) *rich*
rubio(a) *blonde*
viejo(a) *old*

IMPORTANT WORDS

allí *there*
cerca de *near*
ciudad *city*
lejos de *far from*
paz *peace*

IMPORTANT EXPRESSIONS

Disculpe. *Excuse me.*
Muchísimas gracias. *Thank you very much.*
Para servirle. *At your service.*

Repaso II
(Lecciones 5-8)

Lección 5

0	cero					
1	uno	11	once	21	veintiuno	
2	dos	12	doce	22	veintidós	
3	tres	13	trece	23	veintitrés	
4	cuatro	14	catorce	24	veinticuatro	
5	cinco	15	quince	25	veinticinco	
6	seis	16	dieciséis	26	veintiséis	
7	siete	17	diecisiete	27	veintisiete	
8	ocho	18	dieciocho	28	veintiocho	
9	nueve	19	diecinueve	29	veintinueve	
10	diez	20	veinte	30	treinta	

$+$ y $-$ menos $\times$ por $\div$ divido por $=$ es, son

Lección 6

Time is expressed as follows:

¿Qué hora es?	What time is it?
Es la una.	It's one o'clock.
Son las dos.	It's two o'clock.
Son las dos y diez.	It's 2:10.
Son las dos y cuarto.	It's 2:15.
Son las dos y media.	It's 2:30.
Son las tres menos veinte.	It's 2:40.
Es mediodía.	It's 12 noon.
Es medianoche.	It's 12 midnight.
Son las seis de la mañana.	It's 6 A.M.
Son las cuatro de la tarde.	It's 4 P.M.
Son las ocho de la noche.	It's 8 P.M.

To express "at" a specific time, use **a**:

—¿**A** qué hora preparas las tareas? —*A* las ocho de la noche.

Lección 7

To conjugate an **-er** verb, drop **-er** from the infinitive (the form of the verb before conjugation) and add the appropriate endings:

EXAMPLE: **comprender**

If the subject is		add		to the remaining stem:	
	yo		**o**		**yo comprendo**
	tú		**es**		**tú comprendes**
	usted		**e**		**usted comprende**
	él		**e**		**él comprende**
	ella		**e**		**ella comprende**
	nosotros		**emos**		**nosotros comprendemos**
	nosotras		**emos**		**nosotras comprendemos**
	ustedes		**en**		**ustedes comprenden**
	ellos		**en**		**ellos comprenden**
	ellas		**en**		**ellas comprenden**

irregular **-er** verbs

querer *to want*		**saber** *to know*		**ver** *to see*	
yo	**quiero**	yo	**sé**	yo	**veo**
tú	**quieres**	tú	**sabes**	tú	**ves**
él, ella, Ud.	**quiere**	él, ella, Ud.	**sabe**	él, ella, Ud.	**ve**
nosotros(as)	**queremos**	nosotros(as)	**sabemos**	nosotros(as)	**vemos**
Uds.	**quieren**	Uds.	**saben**	Uds.	**ven**
ellos, ellas	**quieren**	**ellos(as)**	**saben**	**ellos(as)**	**ven**

The preposition **a** is placed before the direct object if the direct object is a person or a pet. This a is called the "personal **a**":

Yo veo a mi amigo.
Pedro visita a la muchacha.
Carmen ama a su gato.

The combination **a** + **el** forms the contraction **al**:

Escuchamos *al* profesor.

Lección 8

 Adjectives agree in GENDER and NUMBER with the nouns they describe. If the noun is feminine, the adjective is feminine. If the noun is masculine, the adjective is masculine. If the noun is plural, the adjective is plural:

El libro es famoso.   **Los libros son famosos.**
La escuela es moderna.   **Las escuelas son modernas.**

 Adjectives that do not end in **-o** have the same form in the masculine and feminine, except adjectives of nationality, which have feminine forms in **-a**:

El actor es inteligente.   **La actriz es inteligente.**
El actor es español.   **La actriz es española.**

 If an adjective ends in a consonant, add **es** in the plural:

El disco es popular.   **Los discos son populares.**
La pregunta es difícil.   **Las preguntas son difíciles.**

 Spanish adjectives usually follow the noun:

El presidente norteamericano está en la Casa Blanca.

ACTIVIDAD A

Here are ten pictures of people doing things. Complete the description below each picture by using the correct form of one of these verbs:

aprender	comer	correr	responder	vender
beber	comprender	leer	saber	ver

1. María _____ una soda.   **2.** El muchacho no _____.

3. Yo _____ un sandwich delicioso.

4. José y yo _____ en el parque

5. Nosotros _____ un periódico.

6. Ricardo _____ matemáticas en la escuela.

7. El hombre _____ sombreros finos.

8. Marta _____ bien en clase.

9. Los niños _____ el avión en el cielo.

10. El policía _____ la dirección del cine.

ACTIVIDAD ß

Buscapalabras. Hidden in the puzzle are 10 adjectives, 4 verbs, 4 nouns, and 2 numbers. Circle them and list them in your notebook. The words may be read from left to right, right to left, up or down, or diagonally:

```
A  M  U  N  D  O  D  R  O  G
Z  M  L  A  G  O  N  U  B  T
U  D  A  F  D  R  I  C  O  R
L  E  E  R  V  E  R  C  N  E
P  G  R  E  I  H  A  D  I  I
F  G  B  B  C  L  M  O  T  N
Á  N  O  A  F  P  L  S  O  T
C  P  P  S  R  S  C  O  S  A
I  A  P  R  E  N  D  E  R  X
L  Z  V  E  R  D  E  F  A  L
```

10 adjectives (3 are colors)	4 verbs	4 nouns	2 numbers
_____	_____	_____	_____
_____	_____	_____	_____
_____	_____	_____	
_____	_____	_____	
_____	_____		

ACTIVIDAD C

Crucigrama

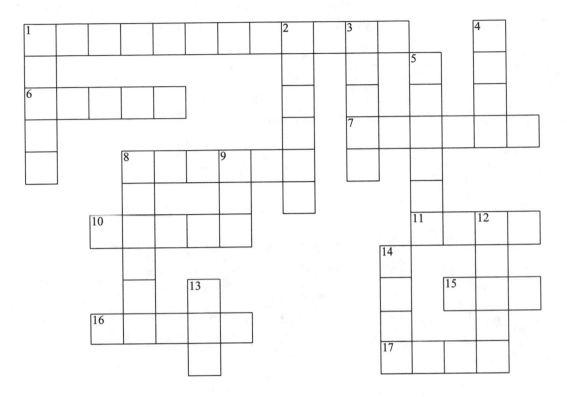

HORIZONTAL

1. supermarket
6. to drink
7. money
8. city
10. (you) pass
11. rich
15. one
16. young
17. tall

VERTICAL

1. to know
2. meal, food
3. where?
4. to read
5. to sing
8. four
9. two
12. five
13. they see
14. red (*fem.*)

ACTIVIDAD D

Would you like to tell your future? Follow these simple rules to see what the cards have in store for you. Choose a number from two to eight. Starting in the upper left corner and moving from left to right, write down all the letters that appear under that number:

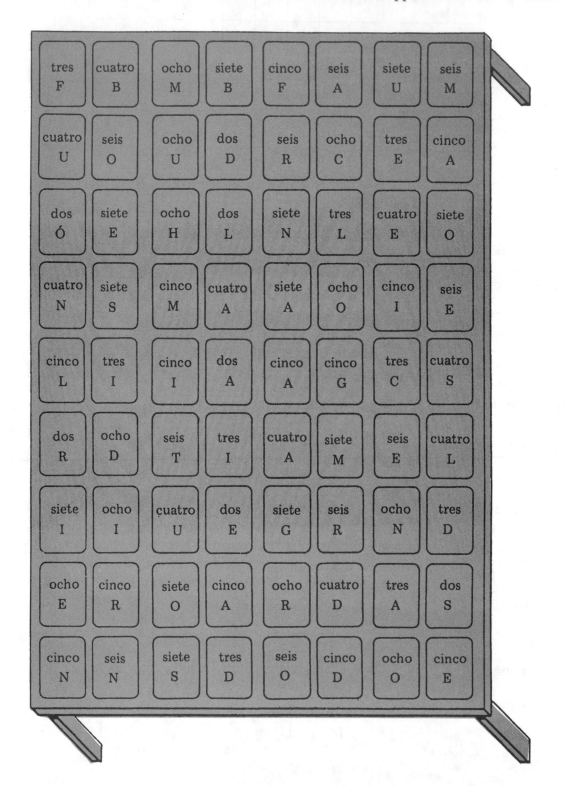

tres F	cuatro B	ocho M	siete B	cinco F	seis A	siete U	seis M
cuatro U	seis O	ocho U	dos D	seis R	ocho C	tres E	cinco A
dos Ó	siete E	ocho H	dos L	siete N	tres L	cuatro E	siete O
cuatro N	siete S	cinco M	cuatro A	siete A	ocho O	cinco I	seis E
cinco L	tres I	cinco I	dos A	cinco A	cinco G	tres C	cuatro S
dos R	ocho D	seis T	tres I	cuatro A	siete M	seis E	cuatro L
siete I	ocho I	cuatro U	dos E	siete G	seis R	ocho N	tres D
ocho E	cinco R	siete O	cinco A	ocho R	cuatro D	tres A	dos S
cinco N	seis N	siete S	tres D	seis O	cinco D	ocho O	cinco E

ACTIVIDAD E

All the following people are saying some numbers. What are they?

1. _____

2. _____

3. _____

4. _____

5. _____

6. _____

ACTIVIDAD F

Give the times in Spanish.

1. _____

2. _____

3. _____

4. _____

5. _____

6. _____

7. _____

8. _____

ACTIVIDAD G

Acróstico. This puzzle contains eight useful expressions. Fill in the Spanish words, then read down the boxed column to find out to whom you would say them:

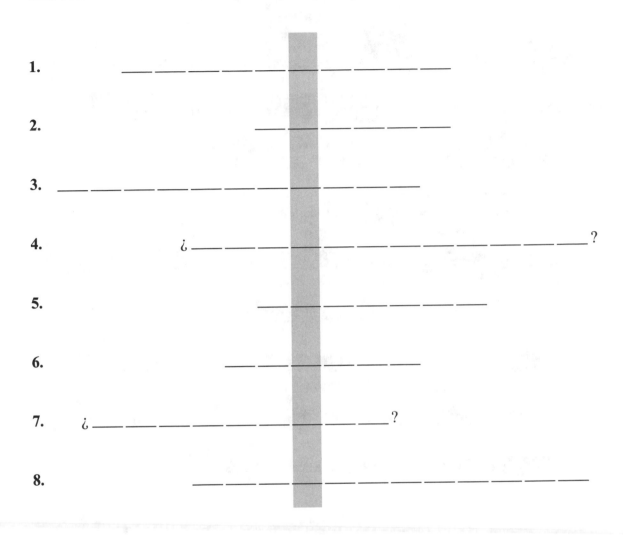

1. Good morning.   5. Thanks.

2. You're welcome.   6. Goodbye

3. See you tomorrow.   7. How are you?

4. What's your name?   8. At your service.

ACTIVIDAD H

Picture Story. Can you read this story? Much of it is in picture form. When you come to a picture, read it as if it were a Spanish word.

En hay muchas   grandes. En las ciudades

hay muchas cosas interesantes: modernos,

excelentes, 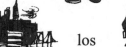 importantes y   bonitos. En los

parques hay y bonitas. Para ir a las partes

diferentes de la  los y las

usan varios medios de transporte. María usa el ,

Juan el . Francisco toma un . Roberto tiene un pequeño

que no usa mucha . Pepito es un de **12** años. Él no tiene

mucho . Tiene una  para ir a la .

Tercera Parte

9

"Ser o no ser"

*Professions and Trades; The Verb **ser***

1 Vocabulario

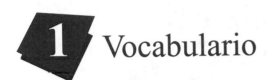

el profesor

la profesora

el médico

la médica

el dentista

la dentista

el secretario

la secretaria

el artista

la artista

el actor

la actriz

el camarero

la camarera

el enfermero

la enfermera

el abogado

la abogada

el policía

la policía

el cartero

la cartera

el bombero

ACTIVIDAD A

¿Quién es? (*Who is it?*) The people in your family have different professions. Match their occupation with the correct picture.

un dentista	**una médica**	**una abogada**	**un bombero**
un policía	**un secretario**	**una enfermera**	**un cartero**
una actriz	**una profesora**		

1. _____

2. _____

3. _____

4. _____

5. _____

6. _____

7. _____

8. _____

9. _____

10. _____

DIVIÉRTETE

¿**Quién soy yo?** Taking turns, a student acts out a profession and a classmate tells him/her: "**Tú eres policía**." Student responds: "**Sí, soy policía**" or "**No, no soy policía; soy cartero(a)**." depending on whether the guess was right or wrong.

ACTIVIDAD ß

Now identify these professions:

1. _____

2. _____

3. _____

4. _____

5. _____

6. _____

7. _____

8. _____

9. _____

10. _____

Para conversar en clase

Now that you know the names of many different professions, choose five and tell something about each one.

EXAMPLE: Un médico trabaja en un hospital.

2

One of the most important words in the Spanish language is the verb **ser** (*to be*). **Ser** is a special verb because no other verb is conjugated like it. For this reason, **ser** is called irregular. You must memorize all its forms.

yo	**soy**	*I am*
tú	**eres**	*you are* (familiar)
Ud.	**es**	*you are* (formal)
él ⎫ ella ⎭	**es**	*he is* / *she is*
nosotros ⎫ nosotras ⎭	**somos**	*we are*
Uds.	**son**	*you are* (plural)
ellos ⎫ ellas ⎭	**son**	*they are*

Here are some examples with the various forms of the verb **ser**. See if you know what they mean.

Yo soy alto.

Tú eres bonita.

Ud. es profesor.

Él es inteligente.

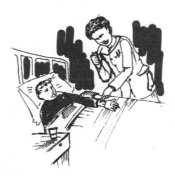

Ella es doctora.

Nosotras somos mexicanas.

Uds. son secretarias.   **Ellos son famosos.**   **Ellas son estudiantes.**

ACTIVIDAD C

Here are some sentences in which a form of the verb **ser** is used. Can you match these sentences with the pictures they describe?

Lobo es un perro pequeño.   **Mis abuelos son actores de cine.**
Los edificios son grandes.   **Ud. es una persona alegre.**
Yo soy presidenta de la clase.   **Nosotras somos amigas.**
Ellos son inteligentes.   **La casa es fea y vieja.**
Carlos es alto y flaco.   **Él es un artista famoso.**

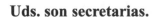

1. _____   2. _____

3. _____   4. _____

5. _____

6. _____

7. _____

8. _____

9. _____

10. _____

ACTIVIDAD D

Choose five people you know and express their professions in complete sentences.

EXAMPLE: Tom Cruise es actor.

1. _____

2. _____

3. _____

4. _____

5. _____

ACTIVIDAD E

You have a pen pal in Peru who wants to know details about your family. Complete these sentences with the correct form of the verb **ser**.

1. Mi padre _____ abogado.

2. Mi padre _____ español y mi madre _____ norteamericana.

3. Mi hermano y yo _____ rubios.

4. Mis padres también _____ rubios.

5. Nosotros no _____ altos.

6. Yo _____ flaco, pero mi hermano _____ gordo.

7. Mis dos hermanas _____ enfermeras; ellas _____ muy inteligentes.

8. ¿Cómo _____ tú? ¿ _____ alto o bajo, flaco o gordo?

9. Tú _____ mi amigo. Tú _____ peruano, yo _____ norteamericano.

ACTIVIDAD F

Answer the following questions about yourself and your family in complete sentences.

EXAMPLE: ¿Es Ud. argentino o norteamericano? Yo soy norteamericano.

1. ¿Es Ud. sociable o tímido?

   _____

2. ¿Es Ud. alto o bajo?

   _____

3. ¿Son Uds. franceses o norteamericanos?

   _____

4. ¿Son Uds. ricos o pobres?

   _____

5. ¿Es usted una persona alegre o triste?

   _____

Pronunciación

Letter	Pronunciation	English examples of sound	Spanish examples
b, v	always **b**	<u>b</u>ook	**beso, vamos, vaca, vino**

Benito bebe un vaso de vino.

Here's a conversation between Juan Alemán, a new boy in school, and Mr. López, the teacher of the class. Mr. López is in for a surprise.

Un alumno nuevo

EL PROFESOR LÓPEZ: Ah, un alumno nuevo. Buenos días, joven. ¿Cómo se llama?

JUAN: Me llamo Juan Alemán y **soy** de México.

EL PROFESOR LÓPEZ: Bienvenido. Yo **soy** el profesor López. ¿Hablas inglés, Juan?

JUAN: No mucho. En casa solamente hablamos español.

solamente *only*

EL PROFESOR LÓPEZ: ¿Tu familia está aquí también?

JUAN: No todos. Mis hermanos están en Veracruz.

EL PROFESOR LÓPEZ: ¿Dónde trabaja tu padre?

JUAN: Mi padre **es mecánico** y trabaja en una estación de servicio.

EL PROFESOR LÓPEZ: ¿Y tu mamá?

JUAN: Mi mamá **es enfermera** y trabaja en un hospital.

EL PROFESOR LÓPEZ: Muy bien, Juan. Los alumnos de la clase **son** muy buenos y simpáticos. Ellos saben que tú **eres** nuevo y que necesitas amigos.

JUAN: ¿Amigos? Yo no necesito amigos. Todos mis primos de Veracruz están aquí en la clase.

bueno *good*
simpático *nice*

ACTIVIDAD G

¿Cierto o falso? These statements are based on the dialog you have just read. If the statement is true, say **Cierto**. If it is false, correct the statement:

1. Juan Alemán es el profesor de la clase.

   _____

2. El señor López es el tío de Juan.

   _____

3. El profesor López habla español.

   _____

4. Juan Alemán habla inglés en casa.

   _____

5. La madre de Juan no trabaja.

   _____

6. El padre de Juan trabaja en un hospital.

   _____

7. Los alumnos de la clase son simpáticos.

   _____

8. Juan necesita estudiar todos los días.

   _____

9. Juan necesita amigos en la clase.

   _____

ACTIVIDAD H

Conteste las preguntas.

1. ¿Quién es Juan Alemán?

   _____

2. ¿Qué idioma habla la familia de Juan?

   _____

3. ¿Qué idiomas habla el profesor López?

   _____

4. ¿Dónde trabaja el padre de Juan?

   _____

5. ¿Dónde trabaja la madre de Juan?

   _____

6. ¿Cómo son los alumnos de la clase?

   _____

CONVERSACIÓN

Vocabulario

    Bienvenido(a). *Welcome.*
    No importa. *It doesn't matter.*
    sólo *only*

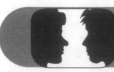

DIÁLOGO

Complete the dialog.

INFORMACIÓN PERSONAL

1. ¿Cómo eres?

   _____

2. ¿Eres tímido?

   _____

3. ¿Eres fuerte (*strong*)?

   _____

4. ¿Crees que es necesario estudiar todos los días?

   _____

5. ¿Cómo es el profesor (la profesora) de español?

   _____

PRACTÍCALO

1. Write about the members of your family and some relatives and their professions. Say as much as you can: what they do, where they work and so on. Give it a title in Spanish and keep it in your folder.
2. List in Spanish five professions or occupations that interest you. Next to each, write a sentence that describes a person involved in that profession or says something about the profession.

EXAMPLE: profesor   Trabaja en una escuela.

Profesión	**Descripción**
1. _____	_____
2. _____	_____
3. _____	_____
4. _____	_____
5. _____	_____

CÁPSULA CULTURAL

Rapid Transit Inca-Style

Before the arrival of the Spaniards, the Incas had established the greatest empire in the New World. It stretched from the North of Ecuador to the center of Chile, a distance of almost 5,000 miles. Its population was estimated to be about six million people.

The Incas were remarkable architects and engineers. Without the use of the wheel or powerful animals such as horses, they constructed monumental buildings, bridges, aqueducts, and stone-paved highways.

But perhaps the most remarkable aspect of Inca civilization was the efficiency of its transport system. This vast empire was connected by an 11,000-mile network of highways. Messages and goods were sent from one place in the empire to another with amazing speed. A message could be sent over more than a thousand miles in a matter of days. Fresh fish was brought from the coast to the capital of Cuzco—a distance of approximately 150 miles!—in only 2 days. Without the use of animals, how was this possible?

The Incas developed a delivery system much like the Pony Express of the Wild West of the United States—but without ponies. Professional runners called **"chasquis"** formed relay teams to deliver messages and goods. Relay stations were set up along the roads at intervals of three miles. The **chasquis**—young Inca athletes—passed the messages from one runner to another at each relay station.

Equally amazing was the system the Incas developed to record their messages. The runners carried **"quipus"**—strings with knots of different colors. Each knot stood for a word or number. The knot could then be translated into messages containing all kinds of information. The strings were attached to rods which were then passed from runner to runner.

Comprensión

1. The vast Inca empire stretched for a distance of almost _____ miles.

2. The Incas were great architects and engineers, constructing such things as _____.

3. The empire was connected by _____

4. **"Chasquis"** were professional _____.

5. Strings of knots of different color containing messages were called _____.

Investigación

What other accomplishments did the Incas achieve? What is Machu Picchu? What is its importance?

VOCABULARIO

el (la) abogado(a) *lawyer*	**el dentista** *dentist*	**IMPORTANT WORDS**
el actor *actor*	**el enfermero(a)** *nurse*	
la actriz *actress*	*(m., f.)*	**alegre** *happy*
el (la) artista *artist (m, f.)*	**el (la) médico(a)** *physician*	**bueno(a)** *good*
el bombero *fire fighter*	**el (la) policía** *police officer*	**ser** *to be*
el camarero(a)	**el (la) profesor(a)** *teacher*	**si...** *if . . .*
waiter/waitress	**el (la) secretario(a)** *secretary*	**simpático(a)** *nice*
el cartero(a) *mail carrier*		**solamente** *only*

10

Más actividades

-IR Verbs

1 Vocabulario

This new group of verbs belongs to the **-ir** conjugation. See if you can guess their meaning.

abrir

cubrir

describir

dividir

escribir

recibir

subir a

vivir en

Do you recall what you did with **-ar** and **-er** verbs when you used them? You dropped the **-ar** or **-er** ending from the infinitive and added certain endings.

hablar *to speak*   **vender** *to sell*

yo	hablo	yo	vendo
tú	hablas	tú	vendes
Ud.	habla	Ud.	vende
él / ella	habla	él / ella	vende
nosotros / nosotras	hablamos	nosotros / nosotras	vendemos
Uds.	hablan	Uds.	venden
ellos / ellas	hablan	ellos / ellas	venden

We do the same things with **-ir** verbs. Here is an example:

escribir *to write*

yo	escribo	*I write, I am writing*
tú	escribes	*you write, you are writing* (familiar)
Ud.	escribe	*you write, you are writing* (formal)
él / ella	escribe	*he writes, he is writing* / *she writes, she is writing*
nosotros / nosotras	escribimos	*we write, we are writing*
Uds.	escriben	*you write, you are writing* (plural)
ellos / ellas	escriben	*they write, they are writing*

If you compare the **-ER** and the **-IR** verbs, almost all the endings are the same. The only exception is the **nosotros** form. In this form, the **-ER** ending is **-emos** but the **-IR** ending is **-imos**.

Let's do another one. Add the proper endings.

abrir *to open*

yo abr_____   nosotros ⎫
                                 ⎬ abr_____
tú abr_____   nosotras ⎭

Ud. abr_____   Uds.   abr_____

él   ⎫   ellos ⎫
     ⎬ abr_____   ⎬ abr_____
ella ⎭   ellas ⎭

ACTIVIDAD A

Match the Spanish sentences with the English meanings.

1. Yo subo al autobús. _____   a. They are writing a composition.

2. Juan no vive aquí. _____   b. He divides the fruit.

3. Nosotras describimos los periódicos. _____   c. I get on the bus.

4. Ellas escriben una composición. _____   d. The teacher opens the window.

5. Él divide la fruta. _____   e. The student writes a sentence.

6. El profesor abre la ventana. _____   f. John doesn't live here.

7. Las muchachas reciben flores. _____   g. You and I cover the chairs.

8. Ustedes no cubren su automóvil. _____   h. We are describing the newspapers.

9. El alumno escribe una frase. _____   i. You don't cover your car.

10. Usted y yo cubrimos las sillas _____   j. The girls receive flowers.

ACTIVIDAD ß

Match the sentences with the pictures they describe.

Yo recibo una invitación.
Tú cubres tu automóvil.
El tendero abre la tienda.

Usted vive en un apartamento.
Los gatos suben al árbol.
Nosotros dividimos diez por dos.

1. _____

2. _____

3. _____

4. _____

5. _____

6. _____

4

Here is one more important **-ir** verb: **salir** (*to leave, to go out*). **Salir** is different because it has an irregular **yo** form: **salgo**. All the other forms are regular.

> **Yo salgo**
>   But
> **tú sales**
> **él sale**   etc.

Complete the following sentences with the correct form of **salir**.

1. Nosotros _____ a las ocho.

2. ¿ _____ Ud. mañana?

3. Yo _____ hoy.

The verb **salir** is followed by **de** if you mention the place you are "going out of."

Yo salgo ahora.   I'm leaving (going out) now.
   But
Yo salgo de la casa ahora.   I'm leaving the house now.

NOTE: If **de** comes directly before the article **el**, the two words combine to form the word **del**, that is, **de + el = del**.

Salimos *del* trabajo a las cinco.   *We leave work at five.*

ACTIVIDAD C

Complete the Spanish sentences with the correct forms of **salir**. If **del** is needed, cross out **el**.

1. Los alumnos _____ la escuela a las tres.

2. Yo _____ mi casa a las ocho de la mañana.

3. Uds. no _____ el cine a las seis.

4. Mi madre _____ al jardín todos los días.

5. Nosotros _____ el teatro.

6. ¿ _____ tú con Roberto?

5

There is one **-ar** verb and three **-er** verbs which, like salir, have an irregular **yo** form.

dar *(to give)*	**yo doy**	*I give*
poner *(to put)*	**yo pongo**	*I put*
saber *(to know)*	**yo sé**	*I know*
traer *(to bring)*	**yo traigo**	*I bring*

6

Now we are ready to compare all three kinds of verbs: **-ar**, **-er**, and **-ir**:

	pasar	**beber**	**vivir**
yo	**paso**	**bebo**	**vivo**
tú	**pasas**	**bebes**	**vives**
Ud.	**pasa**	**bebe**	**vive**
él / **ella**	**pasa**	**bebe**	**vive**
nosotros / **nosotras**	**pasamos**	**bebemos**	**vivimos**
Uds.	**pasan**	**beben**	**viven**
ellos / **ellas**	**pasan**	**beben**	**viven**

Para conversar en clase

Answer the following questions in complete Spanish sentences.

1. ¿A qué hora sales de la escuela?

2. ¿Sabes hablar español?

3. ¿Traes muchos libros a la escuela?

4. ¿Pones los libros en tu escritorio?

5. ¿Das dinero para los animales abandonados?

ACTIVIDAD D

Three sentences are listed below each picture. Give the correct one.

1. a. Yo escribo en la pizarra.
   b. Yo veo la pizarra.
   c. Yo pregunto en la clase.

2. a. Ellos compran discos.
   b. Ellos corren a la tienda.
   c. Ellos compran comida.

3. a. Nosotros vemos la clase.
   b. Nosotros cantamos en la clase.
   c. Nosotros respondemos en la clase.

4. a. Él sale ahora.
   b. Él llega ahora.
   c. Él canta ahora.

5. a. Ella busca la fiesta.
   b. Ella baila en la fiesta.
   c. Ella sale de la fiesta.

6. a. Usted come mucho.
   b. Usted bebe mucho.
   c. Usted trae mucha comida.

7. a. **Carlos y María cubren la puerta.**
   b. **Carlos y María viven en la calle.**
   c. **Carlos y María entran por la puerta.**

8. a. **Rosita escucha música.**
   b. **Rosita abre la ventana.**
   c. **Rosita busca la ventana.**

9. a. **Yo camino por la calle.**
   b. **Yo paso por la calle.**
   c. **Yo trabajo en la calle.**

10. a. **Francisco sale con los muchachos.**
   b. **Francisco baila con muchachas.**
   c. **Francisco mira a las muchachas.**

DIVIÉRTETE

Work with a partner. One student reads what Juan (or Ana) is doing, the other student will act out the activity. Then switch roles.

1. Ana escribe una frase en la pizarra.
2. Juan busca el diccionario.
3. Juan lee el periódico.
4. Ana corre en el parque.
5. Juan abre la puerta.

6. Ana divide la pizza.
7. Juan come una banana.
8. Ana sale de la clase.
9. Ana canta opera (Fígaro).
10. Juan baila rock.

ACTIVIDAD E

Here's a composition for your Spanish class. Complete it with the correct forms of the verbs in parentheses.

Nosotros _____ (vivir) en una casa pequeña. Mi padre _____ (salir) de la casa a las siete de la mañana y _____ (tomar) el tren para ir al trabajo. Yo _____ (salir) a las ocho y _____ (caminar) a la escuela. Mi madre _____ (trabajar) en la cafetería del hospital y mis hermanos _____ (estudiar) en la universidad.

Ellos siempre _____ (traer) amigos interesantes a la casa. Yo _____ (aprender) español en la escuela. En casa nosotros _____ (hablar) solamente inglés y yo no _____ (saber) mucho español. En la escuela, la profesora _____ (preguntar) y los alumnos _____ (responder). Todos los días, nosotros _____ (escribir) una composición. Yo _____ (poner) mi diccionario en mi escritorio y _____ (buscar) muchas palabras.

ACTIVIDAD F

Now make complete Spanish sentences with the correct verb form and a closing element of your choice.

EXAMPLE: (salir)   Yo salgo de mi casa.

1. (ver) Nosotros _____.
2. (buscar) Mi hermano _____.
3. (correr) Mi perro _____.
4. (dividir) Ustedes _____.
5. (subir) Tú _____.
6. (dar) Yo _____.
7. (invitar) Nosotros _____.
8. (abrir) Ellas _____.

9. (responder) Usted _____.

10. (vivir) Mis tíos _____.

Pronunciación

Letter	Pronunciation	English examples of sound	Spanish examples
s, z	ss	si<u>x</u>, ba<u>s</u>ic	<u>z</u>apato, man<u>z</u>ana, lápi<u>z</u>

Selena López compra zapatos en Venezuela.

Here's a conversation containing **-ar**, **-er**, and **-ir** verbs. Pepe's friends are talking about his family. They are trying to find out what Pepe's parents do for a living. Would you know?

Mucha comida

MARÍA: La familia de Pepe **vive** muy bien. Yo **sé** que **ganan** mucho dinero.

ROBERTO: Sí, ellos **viven** en una casa magnífica con un jardín muy grande. El perro de Pepe siempre **corre** por el jardín.

CARLOS: Y ellos **compran** un automóvil nuevo cada año.

ANA: Las dos hermanas de Pepe — Carmen y Rosa — **son** muy elegantes. Carmen **es** enfermera y **trabaja** en un hospital. Rosa **es** secretaria y también **estudia** en la universidad.

ANTONIO: Ellos siempre **reciben** muy bien a los amigos. Cuando yo **visito** a la familia, la madre de Pepe **cubre** la mesa con un mantel y **pregunta**: ¿Qué deseas **comer**, Antonio? Cuando yo **contesto**, ella **trae** la comida a la mesa. Ellos siempre **comen** y **beben** bien.

MARÍA: ¿Dónde **trabajan** los padres de Pepe? ¿Qué **crees**?

(**Entra** Pepe.)

ROBERTO: Pepe, ¿dónde **trabajan** tus padres?

PEPE: Mis padres **tienen** un supermercado. ¿Ahora **comprenden** Uds. por qué siempre **tenemos** mucha comida en mi casa?

TODOS: Sí, **comprendemos** perfectamente.

ganar *to earn*

la comida *food*

tienen *they have*
perfectamente
  perfectly

ACTIVIDAD G

Pick out the **-ar**, **-er**, and **-ir** verbs in the conversation and list them in the infinitive form.

-AR verbs	-ER verbs	-IR verbs
_____	_____	_____
_____	_____	_____
_____	_____	_____
_____	_____	
_____	_____	
_____	_____	
_____	_____	
_____	_____	

ACTIVIDAD H

Complete the sentences with the correct expression chosen from the words provided.

1. María y Ana son _____ de Pepe.
   a. amigos   b. hermanas   c. tías   d. amigas

2. La familia de Pepe _____ una casa grande.
   a. compra   b. desea   c. vive en   d. vende

3. El automóvil de la familia es _____.
   a. grande   b. magnífico   c. viejo   d. nuevo

4. Hay _____ hermanas en la familia.
   a. dos   b. tres   c. cuatro   d. cinco

5. La enfermera trabaja en _____.
   a. el supermercado   b. la casa   c. el hospital   d. el cine

6. Carmen y Rosa son _____.
   a. hermanas   b. tías   c. amigas   d. enfermeras

7. La secretaria también estudia en _____.
   a. una tienda   b. una oficina   c. un teatro   d. una universidad

8. La familia de Pepe _____ bien a los amigos.
   a. invita   b. aprende   c. recibe   d. come

9. El dueño de un supermercado _____ muy bien.
   a. corre   b. vende   c. come   d. sale

10. En un supermercado no venden _____.
    a. soda   b. televisores   c. frutas   d. leche

CONVERSACIÓN

Vocabulario

la calle *street*	**para** *for*
su *your* (formal)	**nuestro(a)** *our*

DIÁLOGO

You are the second person in the dialog. Write a suitable response to each question.

INFORMACIÓN PERSONAL

1. ¿Quién compra la comida en la casa?

2. ¿Dónde compran ustedes la comida, en una tienda o en un supermercado?

3. ¿Dónde viven ustedes?

4. ¿Sales al cine con amigos?

5. ¿Sabes escribir en español?

PRACTÍCALO

1. Write a letter in Spanish to an imaginary (or real) Spanish-speaking friend, telling him or her how much you have learned so far. Tell him or her what you can say in Spanish, and ask questions about things you do not understand very well yet. You may also share your letter with another student in the class or with your teacher to help you overcome your difficulties.

2. Describe yourself and your family by completing these sentences:

   1. Mi familia vive en _____.

   2. La casa es _____.

   3. Yo tengo (No tengo) un automóvil _____.

   4. Tengo _____ hermanos (hermanas).

   5. Mi madre trabaja _____.

   6. Mi padre es _____.

   7. Yo soy _____.

   8. Somos una familia _____.

CÁPSULA CULTURAL

La tortilla

When someone mentions the word tortilla, what do you think of? If you're in Spain, it's probably a **tortilla española** — a kind of omelet made with potatoes, eggs, and onions. This omelet, which is quite thick, is allowed to cool, cut into wedges, and served as a snack or appetizer.

The tortilla that most North Americans think of, however, is the **tortilla mexicana**, which is different from the Spanish **tortilla**. The Mexican tortilla is a flat pancake, generally made of corn meal (although it can be made of wheat flour as well) with water to form the **masa** (*dough*). The **masa** is then shaped into a round, thin pancake, which is cooked and served hot along with the meal.

Tortillas date back more than a thousand years to the ancient Indian civilization of the Mayas in Mexico and Central America. Today these same tortillas are sold by street vendors and in supermarkets.

In Mexico and in many countries of Central America, the *tortilla* is an important part of the everyday diet. It is the basic bread of those cultures.

The tortilla may also be rolled and stuffed with other ingredients, fried crisp, and covered with sauce or cheese. In this way the humble tortilla can be prepared in a variety of ways to make several mouth-watering dishes.

Tacos are crisp tortillas with beef (**carne de res**), turkey (**guajolote**), chicken (**pollo**), or refried beans (**frijoles refritos**).

Enchiladas are soft, corn tortillas stuffed with chicken or beef and cheese, baked and covered with a spicy sauce (**salsa picante**). **Quesadillas** are fried tortillas wrapped around melted cheese and bits of tomato and pepper.

The famous Mexican breakfast of **huevos rancheros** consists of fried eggs on a tortilla covered with spicy ranchero sauce (chopped green peppers, tomatoes, and onions).

With **guacamole** (a spicy dip made with mashed avocados, tomatoes, **chile**, lemon juice, and chopped onions), the tortilla is used much like a cracker or piece of bread to scoop up the mixture.

It is hard to imagine a Mexican meal without plenty of tortillas.

Comprensión

1. A **tortilla española** is a kind of _____ made with
   _____.

2. A Mexican tortilla is a thin, flat _____ generally made of
   _____.

3. The first tortillas date back _____ years and they were made by the
   _____ Indians.

4. Un taco de guajalote is a tortilla filled with _____.

5. A spicy dip made with mashed avocados, tomatoes, chile, lemon juice, and chopped
   onions is called _____.

Investigación

What is Tex-Mex food? What are some of the main dishes?
Get a menu from a Mexican restaurant or a taquería.
Prepare some tacos at home and bring them to class.

VOCABULARIO

ACTION WORDS

abrir *to open*
cubrir *to cover*
describir *to describe*
dividir *to divide, to split*
escribir *to write*

recibir *to receive*
subir *to go up*
subir a *to get on*
vivir (en) *to live (in)*

IMPORTANT WORDS

comida *food*
tienda *store*

¿Cómo está usted?

*Expressions with **estar**; Uses of **ser** and **estar***

"To be or not to be?" We have already learned one verb that means *to be*: **ser.** Here's another one: **estar.**

Yo estoy en un restaurante.

Nosotros estamos en una fiesta.

Tú estás bien.

Ustedes están enfermos.

Usted está contento.

Ella está triste.

Ellos están sentados.

Él está sucio.

Él está limpio.

2

How is **estar** conjugated? You can see that **estar** is an irregular verb:

yo	estoy	*I am*
tú	estás	*you are* (familiar)
Ud.	está	*you are* (formal)
él	está	*he is*
ella		*she is*
nosotros	estamos	*we are*
nosotras		
Uds.	están	*you are* (plural)
ellos	están	*they are*
ellas		

3

When do you use forms of **ser** and when do you use forms of **estar**? For example, if you want to say *I am*, do you say **yo soy** or **yo estoy**? If you want to say *she is*, do you say **ella es** or **ella está**? You can't just use whichever verb you feel like using. There are certain rules. The following examples show the uses of **estar**.

a.

Yo *estoy* en la escuela.	*I am at school.*
Madrid *está* en España.	*Madrid is in Spain.*
¿Dónde *está* Nueva York?	*Where is New York?*

What are we expressing in these sentences? We are telling or asking **where** someone or something is.

b. Now look at the following sentences:

El agua *está* fría.   *The water is cold.*
[It can be heated up, and then **El agua *está* caliente**.]

Tú *estás* contento.   *You are happy.*
[Your mother tells you to do your homework and then **Tú *estás* triste**.]

Ellos están enfermos.   *They are sick.*
[They go to the doctor and then **Ellos *están* bien**.]

Las ventanas *están* abiertas.   *The windows are open.*
[It gets too cold and then **Las ventanas *están* cerradas**.]

Here we are expressing a condition of persons or things that can quickly change.

There are two situations in which we use a form of **estar**:

a. LOCATION (asking or telling where something or someone is):

Chicago y Nueva York *están* en los Estados Unidos.

b. TEMPORARY CONDITION (describing a physical or emotional condition that can change):

Yo estoy bien (enfermo).	*I am well (sick).*
La casa está sucia (limpia).	*The house is dirty (clean).*
Usted está contento (triste).	*You are happy (sad).*

Now you know the situations in which you use **estar**. In all other situations, use **ser**.

NOTE: It may not always be easy to decide whether a condition is "temporary" or "permanent." In Spanish, some conditions are usually regarded as permanent characteristics. Adjectives like **rico, pobre, gordo, flaco, joven**, and **viejo** are usually considered permanent characteristics. Therefore, we say in Spanish:

Yo soy rico.	**La abuela es vieja.**
Mi amigo es pobre.	**Los muchachos son gordos.**

ACTIVIDAD A

Andrés is not feeling well and goes to the nurse's office. Two students act out this dialog taking the parts of Andrés and the nurse. Use the correct form of **estar**.

ENFERMERA: Buenas tardes. ¿Cómo _____ Andrés?

ANDRÉS: Yo no _____ bien. Creo que _____ enfermo.

ENFERMERA: Sí, tú _____ pálido (*pale*). ¿Dónde _____ tus padres ahora?

ANDRÉS: Mi padre _____ en la oficina y mi madre _____ probablemente en el supermercado.

ENFERMERA: ¿Dónde _____ la oficina de tu padre?

ANDRÉS: _____ lejos de la escuela.

ENFERMERA: ¿Quién _____ en casa ahora?

ANDRÉS: Mis hermanos _____ en casa ahora.

ACTIVIDAD B

Take turns reading the following sentences aloud according to the model. Use the appropriate forms of **ser** or **estar**.

EXAMPLE: Mi mamá (alta o baja)
Mi mamá es baja.
Los Angeles (en California o en Texas)
Los Angeles está en California.

1. Yo (alto o bajo)
2. San Francisco (en California o en Florida)
3. Los elefantes (gordos o flacos)
4. Nueva York (grande o pequeña)
5. Mi familia (grande o pequeña)
6. Los estudiantes (alegres o tristes)
7. Mi cuidad (bonita o fea)
8. Los autos Ferrari (rápidos o lentos)
9. Los libros (en la biblioteca o en la farmacia)
10. Superman (fuerte o débil)

4 There is one more use of the verb **estar**: If we want to emphasize that an action is going on right now — the subject is doing something at this very moment —we say:

Carlos está hablando por teléfono.	*Charles is talking on the phone.*
María está escribiendo una carta.	*María is writing a letter.*
Yo estoy comiendo un sandwich.	*I am eating a sandwich.*

How is this done? We use the present tense of **estar** and the present participle (the verb ending in *-ing*). With **-ar** verbs, the present participle is formed by dropping the **-ar** ending of the infinitive and replacing it with **-ando**:

hablar (*to speak*)	**hablando** (*speaking*)
pasar (*to pass*)	**pasando** (*passing*)
bailar (*to dance*)	**bailando** (*dancing*)

The present participle of **-er** and **-ir** verbs is formed by dropping the **-er** or **-ir** ending of the infinitive and replacing it with **-iendo**:

comer (*to eat*)	**comiendo** (*eating*)
beber (*to drink*)	**bebiendo** (*drinking*)
vivir (*to live*)	**viviendo** (*living*)
escribir (*to write*)	**escribiendo** (*writing*)

Note that the present participle does not change, it is always the same.

Él está *bailando*.   **Ella está** *bailando*.   **Ellos están** *bailando*.

ACTIVIDAD C

What is everyone doing now? Complete the sentences, changing each verb to the *-ing* form (**-ando**, **-iendo**)

EXAMPLE: Yo estoy (cantar)   Yo estoy cantando.

1. Mi hermana está (comprar) un disco.

   _____

2. Luis está (escuchar) música.

   _____

3. Mi perro y yo estamos (correr) en el parque.

_____

4. El hombre está (vender) periódicos.

_____

5. Los pasajeros están (subir) al avión.

_____

6. Tú estás (escribir) un poema.

_____

7. Annette está (hablar) francés.

_____

8. Ustedes están (comer) enchiladas

_____

9. Las chicas están (beber) agua.

_____

10. Los alumnos están (responder) en la clase.

_____

ACTIVIDAD D

You are describing what everybody is doing in the classroom right now. Complete the sentences with the correct forms of the verb.

EXAMPLE: la profesora / hablar por teléfono
La profesora está hablando por teléfono.

1. tú / escribir en la pizarra

_____

2. yo / abrir la ventana

_____

3. usted / cerrar la puerta

_____

4. ellos / mirar la pizarra

_____

5. Carlos / estudiar la lección

_____

6. ustedes / contestar una pregunta

_____

7. nosotros / aprender los verbos

_____

8. Juana / hablar con Rosa

_____

5

Let's review the two verbs that mean to be. Repeat them aloud after your teacher:

ser			estar	
yo	soy	_I am_	yo	estoy
tú	eres	_you are_	tú	estás
Ud.	es		Ud.	está
él ⎫ ⎬ ella ⎭	es	_he is_ _she is_	él ⎫ ⎬ ella ⎭	está
nosotros ⎫ ⎬ nosotras ⎭	somos	_we are_	nosotros ⎫ ⎬ nosotras ⎭	estamos
Uds.	son	_you are_	Uds.	están
ellos ⎫ ⎬ ellas ⎭	son	_they are_	ellos ⎫ ⎬ ellas ⎭	están

ACTIVIDAD E

Choose between forms of **ser** and **estar**. Underline the correct form.

1. Roberto (es, está) alegre hoy.
2. Mi abuelo (es, está) carpintero.
3. Yo (soy, estoy) cubana.
4. Ella (es, está) hablando por teléfono.
5. El agua (es, está) caliente.

6. ¿Cómo (son, están) Uds.?

7. ¿(Son, Están) ellas abogadas?

8. ¿Dónde (son, están) tus cuadernos?

9. ¿(Es, Está) flaca María?

10. Uds. (son, están) enfermos.

11. La clase (es, está) visitando un museo.

12. Nosotros (somos, estamos) bien, gracias.

13. Mi primo (es, está) joven.

14. Las ciudades (son, están) grandes.

15. El médico (es, está) en el hospital.

ACTIVIDAD F

Match the sentences with the correct pictures.

Ellas están escuchando discos.
El señor Pérez es gordo.
Laura está sentada en el sofá.
Mis tíos son muy ricos.

Pedro está en la tienda.
Yo soy bombero.
Tú estás buscando un libro.
Nosotros estamos cansados.

1. _____

2. _____

3. _____

4. _____

5. _____ 6. _____

7. _____ 8. _____

ACTIVIDAD G

You are in Mexico and are writing a letter to your parents about the people and things you saw. Complete the sentences with the correct forms of **ser** or **estar**.

Queridos Mamá y Papá:
La ciudad de México _____ inmensa. Los museos _____ muy interesantes.
Las pirámides que _____ muy grandes _____ cerca de la ciudad.
Mis amigos Mario y Raúl _____ estudiando en la universidad. Vivo con mi amiga Elena que _____ colombiana, pero que ahora _____ viviendo en México.
La tía Josefa _____ bien, _____ cansada de vivir en una ciudad grande y quiere vivir en un pueblo pequeño.
Ahora yo _____ esperando cartas de ustedes y de mis amigos.

Besos y abrazos
*   Elena*
P.D. Yo _____ muy contenta (pero necesito un poco de dinero.)

_____

_____

_____

_____

Now read this story.

¡Qué problema!

Ana y su amiga Gabriela están hablando en la cafetería de la escuela.

ANA: Hola Gabriela ¿qué pasa? ¿Tienes un problema?
GABRIELA: Sí. Mi problema se llama Tomás.
Él está llamando a mi casa constantemente.
ANA: ¿Qué quiere?
GABRIELA: Quiere salir conmigo.
ANA: No comprendo. Tomás es un
muchacho simpático y es muy guapo.
GABRIELA: Tomás no es interesante. Está
siempre hablando de béisbol, ¡Es un
fanático!

En ese momento llega Tomás.

TOMÁS: ¡Hola chicas! ¿Cómo están?
Grabriela, ¿estás libre el sábado?
GABRIELA: No. Creo que no.
TOMÁS: ¡Qué lástima!
GABRIELA: ¿Por qué? ¿Tienes entradas
para el béisbol?
TOMÁS: ¡Oh no! Tengo dos entradas para el concierto de rock en
el parque.
GABRIELA: ¿El concierto de rock? ¡Oh Tomás, eres muy amable! Sí, estoy
libre el sábado. ¡Vamos!

conmigo *with me*

en ese momento
at that moment

creo *I think*

entradas *tickets*

ACTIVIDAD H

Complete the sentences based on the story you have just read.

1. Ana y Gabriela están _____ en la cafetería.

2. Ana quiere saber si Gabriela tiene un _____.

3. El problema de Gabriela _____ Tomás.

4. Tomás está _____ constantemente a Gabriela.

5. Ana cree que Tomás es _____ y _____.

6. Gabriela cree que Tomás no _____ _____.

7. Tomás siempre _____ _____ de béisbol.

8. Gabriela no _____ _____ el sábado.

9. Tomás tiene dos _____ para el concierto de rock.

10. Ahora, Gabriela cree que Tomás _____ muy amable.

Para conversar en clase

1. ¿Qué problemas tiene usted? (en la escuela, en casa)
2. Generalmente, ¿cuándo sale con sus amigos?
3. ¿Es usted fanático de un deporte? ¿Cuál?
4. ¿Adónde va el sábado por la noche?
5. ¿Qué clase de música prefiere?

DIÁLOGO

Complete the following dialog.

INFORMACIÓN PERSONAL

1. ¿Cómo estás?

   _____

2. ¿Qué estás estudiando en la escuela?

   _____

3. ¿Dónde estás ahora?

   _____

4. ¿En qué clase estás contento (triste) ?

   _____

5. ¿Cómo es el profesor (la profesora)?

   _____

PRACTÍCALO

1. You are communicating with an Argentinean student on the Internet. Talk about your-self. You may use some of the following information if you like.

- enfermo
- estudioso
- alto(-a)
- inteligente
- rubio(-a) / moreno(-a)
- popular
- romántico(-a)

EXAMPLE: Yo soy alto y moreno. El día de un examen generalmente estoy enfermo.

2. Look for article headings in Spanish newspapers or magazines that contain forms of **ser** and **estar**. Identify them and explain in your own words why each form was chosen over the other. If you do not have access to those materials in your town or city, you may look in the Internet, where you can find many publications in Spanish.

3. Draw or paste photographs from magazines and write a caption for each drawing or picture saying as much as you can about the person or animal you chose (i.e., **Esta actriz se llama Michelle, es rubia y alta, está triste / alegre, está escribiendo un autógrafo…**).

CÁPSULA CULTURAL

The "Shining Star of the Caribbean"

Sometimes it is called "**La isla del encanto**" (The Enchanted Island). It was called Borinquen by the native peoples, including the **Taíno**, who inhabited the land when Christopher Columbus (Cristóbal Colón) landed on its shores during his second voyage to the New World in 1493.

Originally the island was named **San Juan** (Saint John) by the Spaniards and its port city was called **Puerto Rico** (Rich Port). During the course of history a map maker mistakenly switched the two names, calling the port San Juan and the island Puerto Rico. The names stuck and it has been that way ever since.

Visited by millions of tourists each year, Puerto Rico seems to have something for everyone. You can stroll down the winding cobblestone streets of Old San Juan (**El viejo San Juan**), only seven square blocks but the center of Puerto Rico's colonial past. Founded in 1521, it is the oldest capital city under the US flag. Then visit the massive fortress of **El Morro**, where Spanish conquistadors warded off pirate attacks by men such as Sir Francis Drake.

But San Juan is also a modern city of freeways and skyscrapers, with a dazzling night life, casinos, and deluxe hotels. Just outside the city is the famous **Luquillo Beach** with its white sand and swaying palm trees. About 90 miles south of San Juan by car is the charming colonial city of Ponce, the island's second largest city, where 500 years of history come alive.

Nature lovers enjoy exploring El Yunque, a 28,000-acre tropical rain forest, and **Río Camuy Cave Park**, one of the world's most spectacular cave systems and one of the world's longest underground rivers with seven miles of twisting passages!

Puerto Rico is truly a tropical paradise.

Comprensión

1. The native Indians called Puerto Rico _____.

2. Originally, the Spaniards named the island _____ and the port city

   _____.

3. The oldest capital city under US flag is _____.

4. _____ is the massive fortress where the Spaniards warded off pirate attacks.

5. Río Camuy contains one of the world's _____ and

   _____.

Investigación

Make a tourist brochure of Puerto Rico. Describe all its attractions and tell why tourists should visit it.

VOCABULARIO

estar *to be* (temporary or location)
ser *to be* (permanent characteristic)

IMPORTANT WORDS

entrada(s) *ticket(s)*
fatal *horrible, bad*
noche *night*
sábado *Saturday*

IMPORTANT EXPRESSIONS

Creo que no. *I don't think so.*
¡Qué lástima! *What a shame.*
¿Qué quieres? *What do you want?*
Yo estoy bien. *I'm O.K.*
Estoy libre. *I'm off, free.*
Yo estoy triste. *I'm sad.*

12

¿Cuál es la fecha de hoy?

Days and Months

 Los días de la semana

FEBRERO				
lunes		3	10	17	24
martes		4	11	18	25
miércoles		5	12	19	26
jueves		6	13	20	27
viernes		7	14	21	28
sábado	1	8	15	22
domingo	2	9	16	23

NOTE: In Spanish, the days of the week are all masculine and begin with a small letter.

ACTIVIDAD A

Fill in the name of the day of the week:

1. m ____ ____ t ____ s

2. l____ ____ ____s

3. ju ____ ____ e ____

4. v____ ____ r ____ ____ s

5. ____ o ____ ____ n ____o

6. m____ ____ r ____ o___e ____

7. ____ áb ____ d ____

ACTIVIDAD β

Fill in the days before and after the day given.

1. _____ lunes _____

2. _____ miércoles _____

3. _____ viernes _____

4. _____ domingo _____

2

     La semana tiene siete días: lunes, martes, miércoles, jueves, viernes, sábado y domingo. Cinco días son de trabajo. Los adultos trabajan y los niños estudian en la escuela. Hay clases todos los días menos el sábado y el domingo, el fin de semana.

menos *except*

Now, review everything you know about a week by practicing the following conversation with a partner.

—¿Qué día es hoy?
—Hoy es viernes, ¿por qué?
—¡Qué bien! Si hoy es viernes, mañana es sábado.
—Sí, mañana no hay clases. Es el fin de semana.
—Yo sé. Mañana tengo un partido de fútbol y los domingos siempre voy al cine.
—Pero el lunes hay un examen de español.
—No importa. Mañana estudio en la biblioteca. Solamente necesito unas horas de estudio. ¡Yo soy muy inteligente!
—Sí, y muy modesto también.

el partido *game, match*
voy *I am going*

ACTIVIDAD C

Complete the following sentences based on the story you read.

1. Hay _____ días en una semana.

2. Los días de trabajo son _____, _____,

   _____ y _____.

3. No hay clases el _____ y el _____ .

4. Si hoy es martes, mañana es _____ .

5. El sábado y el domingo son el _____ de semana.

6. Si hoy es miércoles, mañana es _____ .

7. Si hoy es lunes, mañana es_____ .

8. _____ es mi día favorito de la semana.

You have probably noticed that with any day of the week (for example, **lunes**), you may say **el lunes**, **los lunes**, or simply **lunes**.

Look at these sentences:

El sábado hay una película excelente.   *Saturday there is an excellent movie.*
Los sábados voy al cine.   *Saturdays I go to the movies.*

When referring to one specific day (On Monday, On Tuesday....) we use **el**.

When referring to every Monday, Tuesday, etc., we say **los**.

But:

Hoy es jueves y mañana es viernes.   *Today is Thursday and tomorrow is Friday.*

After the verb **ser**, these articles (**el**, **los**) are omitted.

NOTE: Except for **domingo** (**domingos**) and **sábado** (**sábados**), the days of the week have the same form in the singular and the plural.

Complete the following sentences in Spanish using **el, los,** or no article at all.

1. I practice baseball on Saturdays.   Practico béisbol _____ sábados.

2. Friday I have an exam.   _____ viernes tengo un examen.

3. Today is Tuesday.   Hoy es _____ martes.

4. I have guitar class on Mondays.   Tengo clases de guitarra _____ lunes.

5. Are you working Saturday?   ¿Trabajas _____ sábado?

6. Tomorrow is Friday.   Mañana es _____ viernes.

ACTIVIDAD D

You have a pen pal who is interested in your weekly schedule. Complete these sentences with an appropriate day of the week.

1. Tengo clase de español _____.

2. Voy al cine _____.

3. _____ tengo un partido de fútbol.

4. _____ tengo una clase de música.

5. _____ y_____ salgo con mis amigos.

3 Los meses

enero	febrero	marzo
abril	mayo	junio
julio	agosto	septiembre

octubre   **noviembre**   **diciembre**

ACTIVIDAD E

Fill in the months before and after the month given.

1. _____ enero _____

2. _____ abril _____

3. _____ julio _____

4. _____ octubre _____

ACTIVIDAD F

Below each picture, write the Spanish name for *one* of the months commonly associated with the activity shown. (In some situations, more than one month may be correct.)

1. _____   **2.** _____   **3.** _____

4. _____

5. _____

6. _____

7. _____

8. _____

9. _____

10. _____

11. _____

12. _____

 # Pronunciación

Letter	Pronunciation	English examples of sound	Spanish examples
x	ks	so**cks**	**taxi, extraño**

El taxista tiene una expresión extraña.

Una conversación en la clase

Pablo es un niño de seis años. El señor Franco es el maestro de la clase.

el niño *boy*
el maestro *teacher*

SR. FRANCO: Buenos días, Pablito. ¿Cómo estás?

PABLITO: Muy bien, gracias, señor. ¿Y Ud.?

SR. FRANCO: Bien, gracias. Pablito, ¿sabes qué día es hoy?

PABLITO: Sí, señor. Hoy es lunes, el primer día de la semana.

primer *first*

SR. FRANCO: ¿Cuántos días tiene la semana?

PABLITO: La semana tiene siete días. Los sábados y los domingos no hay clases y no trabajamos.

SR. FRANCO: Bien. ¿Sabes, Pablito, cuáles son los meses del año y en qué mes estamos ahora?

¿cuáles? *which?*

PABLITO: ¡Claro! En un año hay doce meses: enero, febrero, marzo, abril, mayo, junio, julio, agosto, septiembre, octubre, noviembre y diciembre. Enero es el primer mes y diciembre es el último. Hoy es el cinco de marzo.

último *last*

SR. FRANCO: Muy bien. Y ahora, una pregunta difícil. ¿Sabes cuántos días hay en cada mes?.

¿cuántos? *how many?*

PABLITO: Eso no es difícil. Yo sé un poema que da la información:

> Treinta días hay en septiembre,
> y en abril, junio y noviembre;
> de veintiocho sólo hay uno,
> los demás de treinta y uno.

SR. FRANCO: ¡Estupendo! Tú sabes más que yo.

ACTIVIDAD G

Answer these questions based on the conversation in complete Spanish sentences.

1. ¿Quién es el señor Franco?

_____

2. ¿Quién es Pablito?

_____

3. ¿Qué día es hoy?

_____

4. ¿Cuántos días hay en una semana?

_____

5. ¿Cuáles son los días de la semana?

_____

6. ¿Qué días de la semana no trabajamos?

_____

7. ¿Cuántos meses hay en un año?

_____

8. ¿Cuáles son los meses del año?

_____

9. ¿Cuál es el primer mes del año?

_____

10. ¿Qué mes tiene veintiocho días?

_____

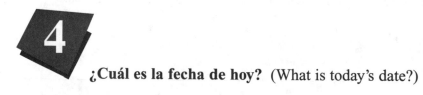

¿Cuál es la fecha de hoy? (What is today's date?)

Let's see how the date is expressed in Spanish. Look at the dates circled in the calendar (**el calendario**):

	ENERO						FEBRERO						MARZO				
lunes		6	13	20	27		3	10	17	24		3	10	17	24	31
martes		7	14	21	28		4	11	18	25		4	⑪	18	25	
miércoles	1	8	15	22	29		⑤	12	19	26		5	12	19	26	
jueves	2	9	16	23	30		6	13	20	27		6	13	20	27	
viernes	3	10	17	24	31		7	14	21	28		7	14	21	28	
sábado	4	11	18	25		1	8	15	22		1	8	15	22	29	
domingo	5	12	19	26		2	9	16	23		2	9	16	23	30	

	ABRIL						MAYO						JUNIO				
lunes		7	14	21	28		5	12	19	26		2	9	16	23	30
martes	1	8	15	22	29		6	13	20	27		3	10	17	24	
miércoles	2	9	16	23	30		7	14	21	28		4	11	18	25	
jueves	3	10	17	24		1	8	⑮	22	29		5	12	19	26	
viernes	4	11	18	25		2	9	16	23	30		6	13	20	27	
sábado	5	12	19	26		3	10	17	24	31		7	14	21	28	
domingo	6	13	20	27		4	11	18	25		1	8	15	22	29	

	JULIO						AGOSTO						SEPTIEMBRE				
lunes		7	14	21	28		4	11	18	25		1	8	15	22	29
martes	1	8	15	22	29		5	12	19	26		2	9	16	23	30
miércoles	2	9	16	23	30		6	13	20	27		3	10	17	24	
jueves	3	10	17	24	31		7	14	21	28		4	11	18	25	
viernes	4	11	18	25		1	8	15	22	29		5	12	19	26	
sábado	5	12	19	26		2	9	16	23	30		6	13	20	27	
domingo	6	13	20	27		3	10	17	24	㉛		7	14	21	28	

	OCTUBRE						NOVIEMBRE						DICIEMBRE				
lunes		6	13	20	27		3	10	17	24		①	8	15	22	29
martes		7	14	21	28		4	11	18	25		2	9	16	23	30
miércoles	1	8	15	22	29		5	12	19	26		3	10	17	24	31
jueves	2	9	16	23	30		6	13	20	27		4	11	18	25	
viernes	3	10	17	24	31		7	14	21	28		5	12	19	26	
sábado	4	11	18	25		1	8	15	22	29		6	13	20	27	
domingo	5	12	19	26		2	9	16	23	30		7	14	21	28	

	FEBRERO				
lunes		3	10	17	24
martes		4	11	18	25
miércoles		⑤	12	19	26
jueves		6	13	20	27
viernes		7	14	21	28
sábado	1	8	15	22	
domingo	2	9	16	23	

	MARZO				
lunes		3	10	17	24	31
martes		4	⑪	18	25
miércoles		5	12	19	26
jueves		6	13	20	27
viernes		7	14	21	28
sábado	1	8	15	22	29
domingo	2	9	16	23	30

Es el cinco de febrero.
Es miércoles, cinco de febrero.

Es el once de marzo.
Es martes, once de marzo.

MAYO				
lunes		5	12	19	26
martes		6	13	20	27
miércoles		7	14	21	28
jueves	1	8	(15)	22	29
viernes	2	9	16	23	30
sábado	3	10	17	24	31
domingo	4	11	18	25

Es el quince de mayo.
Es jueves, quince de mayo.

AGOSTO				
lunes		4	11	18	25
martes		5	12	19	26
miércoles		6	13	20	27
jueves		7	14	21	28
viernes	1	8	15	22	29
sábado	2	9	16	23	30
domingo	3	10	17	24	(31)

Es el treinta y uno de agosto.
Es domingo, treinta y uno de agosto.

DICIEMBRE				
lunes	(1)	8	15	22	29
martes	2	9	16	23	30
miércoles	3	10	17	24	31
jueves	4	11	18	25
sábado	5	12	19	26
domingo	6	13	20	27
	7	14	21	28

Es el primero de diciembre.
Es lunes, primero de diciembre.

Note: The first day of the month is always expressed as **primero de**.

Para conversar en clase

One student names a holiday and another student gives the date of that day. Then do it the other way around, one student gives the date and the other provides the corresponding holiday. You may use the following holidays:

El Año Nuevo	*New Year's day*	La Pascua Florida	*Easter*
El Día de la Independencia	*Independence Day*	La Navidad	*Christmas*
El Día de San Valentín	*Saint Valentine*	El Día de Acción de Gracias	*Thanksgiving*

EXAMPLE: El Día de la Independencia
El Día de la Independencia es el cuatro de julio.

ACTIVIDAD H

These are your friends' birthdays. Express them in Spanish.

EXAMPLE: Su cumpleaños es el cinco de mayo.

1. November 20 _____
2. April 11 _____
3. September 25 _____
4. January 1 _____
5. December 18 _____

CONVERSACIÓN

Vocabulario

eso *that*

tanto *so much*

por supuesto *of course*

DIÁLOGO

You are the second person in the dialog. Complete it with appropriate answers of your own:

INFORMACIÓN PERSONAL

1. ¿Cuál es la fecha de hoy?

   _____

2. ¿En qué mes celebras tu cumpleaños?

   _____

3. ¿Cuáles son los meses de vacaciones de la escuela?

   _____

4. ¿Qué haces los domingos?

   _____

5. ¿A qué hora sales de la casa los lunes?

   _____

6. ¿Cuál es tu día favorito de la semana y por qué?

   _____

7. ¿Cuál es tu mes favorito y por qué?

   _____

PRACTÍCALO

1. Give the dates in Spanish for these important events. Add any other events you wish.

your birthday	New Year's Day
Christmas	your mother's birthday
Thanksgiving	your father's birthday
Independence Day	

2. Update the activity on lesson 6, where you wrote your daily schedule. Since you don't have the same routines every day, now you can be specific and say what you do on different days at different times.

THE COGNATE CONNECTION

Spanish (along with such major European languages as French, Italian, Portuguese, and Romanian) is called a Romance language because it is derived from Latin, the language spoken by the Romans.

Since more than half of all English words are also derived from Latin, there is an important relationship between Spanish and English vocabulary, with large numbers of words being related or "cognate."

More importantly, the portion of our English language coming from Latin includes most of our "hard" words, words that are complex or scientific.

Here are some examples of how these languages relate to one another:

LATIN	SPANISH	FRENCH	ITALIAN	ENGLISH COGNATE
mater (mother)	**madre**	**mère**	**madre**	**maternal** (motherly)
carnis (meat)	**carne**	**chair**	**carne**	**carnivorous** (meat-eating)
veritas (truth)	**verdad**	**vérité**	**verità**	**verify** (establish truth)
malus (bad)	**malo**	**mal**	**malo**	**malice** (ill will)
juvenis (young)	**joven**	**jeune**	**giovane**	**juvenile** (youthful)
unus (one)	**uno**	**un**	**uno**	**unilateral** (one-sided)
dormire (to sleep)	**dormir**	**dormir**	**dormire**	**dormant** (inactive)
legere (to read)	**leer**	**lire**	**leggere**	**legible** (readable)

In succeeding lessons, we will explore more of the fascinating relationship between the English and Spanish languages.

CÁPSULA CULTURAL

Measuring the Passage of Time: El calendario azteca

How many months are there in a year? Twelve, you say. Well, that depends on the calendar you're using.

Our present system of measuring time uses the Gregorian calendar invented by the Babylonians about 5,000 years ago. This calendar, later revised by the Romans, divided the year into 12 months, all of which had 30 or 31 days, except February, which contained 28 days most years and 29 days every fourth year—a leap year of 366 days.

On our continent, however, the Mayan Indians developed a calendar which many scientists consider the most accurate system ever devised.

The Mayans' observations of the heavens convinced them that time was an ever-repeating series of cycles that included the earth moving on its axis in a circle (a day), the moon moving in a circle around the earth (a month), and the earth moving around the sun in a circle (a year). They therefore divided the year into 13-moon cycles and multiplied that by the length of each cycle, 28 days, to derive a 364-day year.

The Aztecs adopted the concept of the Mayans, creating a 365-day year. They divided the year into 18 weeks of 20 days each, leaving 5 extra "unlucky" days at the end of the year. They also utilized a "sacred" calendar of 260 days to predict the future. It contained 20 weeks of 13 days each. The first days of these two calendars coincided once each 52 years. This cycle of 52 years was very important to the Aztecs. They feared that day would bring about the end of the world.

Does all this sound unbelievably complicated? Well, it's all recorded on the great Aztec Sun Stone in the National Museum of Anthropology and History in Chapultepec Park in Mexico City. The huge, thick round stone measures 12 feet in diameter and weights 26 tons! On it are represented the movement of the sun, the seasons of the year, and the hour of the day. It is sculpted with the image of the sun-god at its center and contains hieroglyphs (picture writing) explaining the Aztec version of world history, myths, and prophecy. It's certainly worth a visit if you ever go to Mexico.

Comprensión

1. The Gregorian calendar was invented by _____ and revised by _____.

2. The Mayans observed that time was an ever-repeating series of _____.

3. The Mayans divided the year into _____ moon cycles of days to create a _____ -day year.

4. The Aztec calendar contained 5 extra days at the end of each year which were considered _____.

5. The Calendario Azteca or great Aztec Sun Stone is located in _____.

Investigación

Construct an Aztec calendar. Use colored paper pasted together to represent the symbols and hieroglyphs of the stone.

VOCABULARIO

DAYS OF THE WEEK

lunes *Monday*
martes *Tuesday*
miércoles *Wednesday*
jueves *Thursday*
viernes *Friday*
sábado *Saturday*
domingo *Sunday*

MONTHS

enero *January*
febrero *February*
marzo *March*
abril *April*
mayo *May*
junio *June*

julio *July*
agosto *August*
septiembre *September*
octubre *October*
noviembre *November*
diciembre *December*

IMPORTANT WORDS

día *day*
fecha *date*
fin de semana *weekend*
hoy *today*

primero *first*
semana *week*
último *last*

Repaso III
(Lecciones 9-12)

Lección 9

The verb **ser** is an irregular verb that means **to be**. Memorize all its forms:

yo	**soy**	**nosotros** } **somos**	
		nosotras }	
tú	**eres**	**Uds.**	**son**
Ud.	**es**		
él } **es**		**ellos** } **son**	
ella }		**ellas** }	

Lección 10

a. To conjugate an **-ir** verb, drop the **-ir** from the infinitive and add the appropriate endings:

EXAMPLE: **abrir**

If the subject is

	add	to the remaining stem:
yo	**o**	**yo abro**
tú	**es**	**tú abres**
Ud.	**e**	**Ud. abre**
él	**e**	**él abre**
ella	**e**	**ella abre**
nosotros	**imos**	**nosotros abrimos**
nosotras	**imos**	**nosotras abrimos**
Uds.	**en**	**Uds. abren**
ellos	**en**	**ellos abren**
ellas	**en**	**ellas abren**

b. The verb *salir* (**to leave, to go out**) has an irregular **yo** form (**yo salgo**) and is followed by **de** before the name of the place you are leaving:

Yo salgo de la escuela a las tres.

The combination **de** + **el** forms the contraction **del**:

Salimos *del* teatro a las cinco.

Other verbs with irregular **yo** forms:

dar	*yo doy*	**saber**	*yo sé*
poner	*yo pongo*	**traer**	*yo traigo*

Lección 11

In Spanish, there is a second verb meaning to be: **estar**. Some forms of **estar** are irregular and must be memorized:

yo	**estoy**	**nosotros**	
tú	**estás**	**nosotras** }	**estamos**
Ud.	**está**	**Uds.**	**están**
él		**ellos**	
ella }	**está**	**ellas** }	**están**

Ser is used:

1. to express a permanent characteristic or to identify a subject:

   Pedro *es* español
   El hombre *es* joven.
   La señora *es* abogada.

2. to express time and dates:

   ¿Qué hora *es*? —Es la una.
   ***Es* el treinta de enero.**
   Hoy *es* martes, treinta de enero.

Estar is used when referring to location and when describing a temporary condition (which can quickly change):

¿Dónde *está* Roberto?
La niña *está* bien.
***Estamos* muy contentos.**

Lección 12

LOS DÍAS	LOS MESES	
lunes	**enero**	**julio**
martes	**febrero**	**agosto**
miércoles	**marzo**	**septiembre**
jueves	**abril**	**octubre**
viernes	**mayo**	**noviembre**
sábado	**junio**	**diciembre**
domingo		

ACTIVIDAD A

Acróstico. Fill in the Spanish words, then read down the boxed column to find the mystery word.

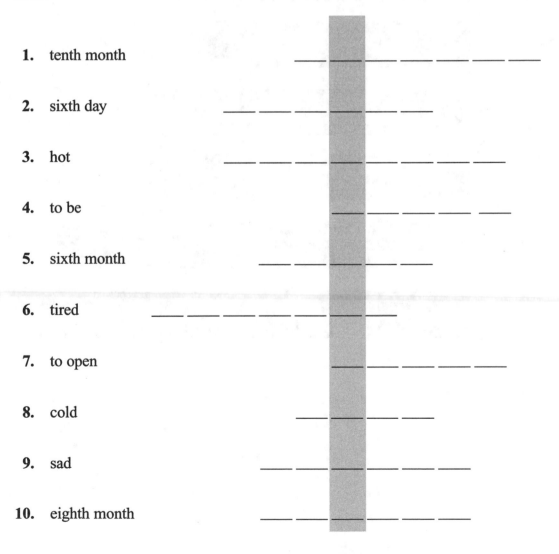

1. tenth month

2. sixth day

3. hot

4. to be

5. sixth month

6. tired

7. to open

8. cold

9. sad

10. eighth month

ACTIVIDAD ß

Unscramble these days of the week. Then unscramble the letters in the circles to find out how the students go to school every day.

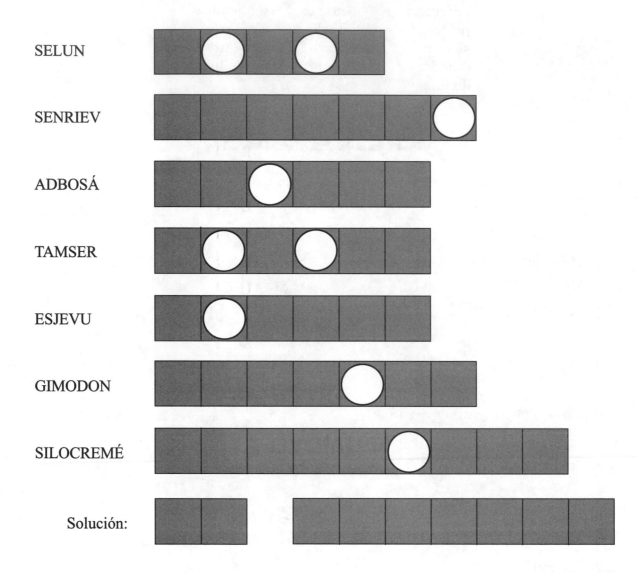

SELUN

SENRIEV

ADBOSÁ

TAMSER

ESJEVU

GIMODON

SILOCREMÉ

Solución:

ACTIVIDAD C

Buscapalabras. Circle the eighteen words hidden in the puzzle and list them below. The words may be read from left to right, right to left, or up and down.

```
E  N  E  R  O  L  A  O  R  L
V  A  O  C  T  U  B  R  E  I
I  O  D  B  S  N  R  S  N  É
E  G  A  C  O  E  I  E  O  R
R  N  B  D  G  S  L  V  P  C
N  I  Á  M  A  R  T  E  S  O
E  M  S  A  Í  R  F  U  I  L
S  O  E  R  F  G  H  J  J  E
N  D  R  Z  R  A  T  S  E  S
M  A  Y  O  L  V  I  V  I  R
```

7 days	6 months	4 verbs
_____	_____	_____
_____	_____	_____
_____	_____	_____
_____	_____	_____
_____	_____	1 adjective
_____	_____	_____
_____		

ACTIVIDAD D

Verb game. Here are some pictures of people doing things. Describe each picture following the clues given.

1. El cartero _____ las cartas.

2. Los gatos _____ al árbol.

3. Yo _____ el lápiz a Juan.

4. Ud. _____ la puerta del automóvil.

5. Mi madre _____ flores.

6. Tú _____ un problema en _____.

7. La niña _____ en el sofá.

8. Nosotros _____ del cine.

ACTIVIDAD E

Crucigrama.

HORIZONTALES

1. happy, satisfied
5. (you) know
7. three
8. water
10. (I) put
12. (s/he) gives
13. indefinite article
14. (s/he) sees
15. (you) read
17. thing
19. mailman
20. in, on
21. (s/he) looks at
22. tired

VERTICALES

1. singing
2. aunts
3. contraction
4. cold
5. to be
6. (I) leave, go out
9. (s/he) puts
10. doors
11. weeks
16. house
17. (I) eat
18. to be

ACTIVIDAD **F**

Picture story. Can you read this story? Much of it is in picture form. When you come to a picture, read it as if it were a Spanish word.

Es el mes de . Es viernes, el último día de clases. Lupita, una

de 9 años, no está en la ; está en . ¡Pobre Lupita! Ella está

muy hoy; no está . Ella no tiene mucho apetito. La

de Lupita prepara una deliciosa, pero Lupita no desea .

Ella tiene muchos y , pero no desea 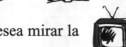 . Lupita está

muy enferma. Ella no desea mirar la y no desea escuchar la .

Entra el doctor González. Es un inteligente y bueno. «Lupita, tienes

que tomar una y beber mucha . Mañana no hay clases. Es sábado.»

Cuarta Parte

13

El cuerpo

*The Verb **tener**; Expressions with **tener***

1 el monstruo

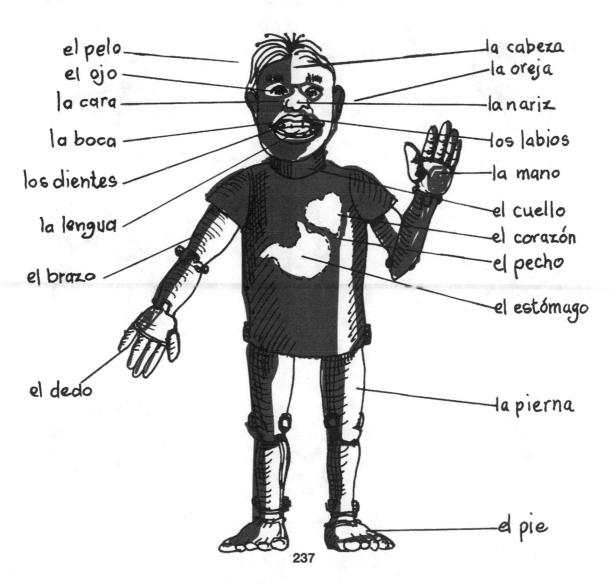

el pelo
el ojo
la cara
la boca
los dientes
la lengua
el brazo
el dedo

la cabeza
la oreja
la nariz
los labios
la mano
el cuello
el corazón
el pecho
el estómago
la pierna
el pie

237

ACTIVIDAD A

This monster may look weird, but the parts of his body are the same as yours and mine. Study the Spanish names for them and match the words with the correct pictures.

la boca	**el cuello**	**la lengua**	**la oreja**
el brazo	**el dedo**	**la mano**	**el pelo**
la cabeza	**los dientes**	**la nariz**	**el pie**
la cara	**el estómago**	**los ojos**	**las piernas**
el corazón	**los labios**		

1. _____

2. _____

3. _____

4. _____

5. _____

6. _____

7. _____

8. _____

9. _____

10. _____

11. _____

12. _____

13. _____   **14.** _____   **15.** _____

16. _____   **17.** _____   **18.** _____

Note: **La oreja** refers to the outer shell of the ear. The inner ear (the organ of hearing) is called **el oído.**

ACTIVIDAD ß

Every part of the body can do something. Following the example, use each part of the body from the list with an action it can perform. Sometimes more than one part of the body will be appropriate.

EXAMPLE: Usamos *las manos* para *trabajar*.

1. hablar _____		las manos
2. bailar _____		los dedos
		la cabeza
3. cantar _____		los ojos
4. estudiar _____		el oído
		la boca
5. trabajar _____		los labios
6. mirar _____		la lengua
7. beber _____		los dientes
		los brazos
8. comer _____		los pies
9. correr _____		las piernas
10. escribir _____		
11. escuchar _____		

DIVIÉRTETE

Work with a partner. One student gives a command, the other acts it out. Use the verb **tocar** (*to touch*) all the time. Use as many parts of the body as you remember.

EXAMPLE: Your Partner: Toca la cabeza.
             You: Touch your head.

Now that you know the Spanish names for various parts of the human body, you're ready to read the incredible story of the mad scientist Dr. Francisco Frankenpiedra and the horrible monster he created: In this story are all the forms of the irregular Spanish verb **tener** (*to have*). See if you can find them.

El Monstruo

Lugar: el laboratorio de un científico loco, el doctor Francisco Frankenpiedra.

Personajes: el Dr. Frankenpiedra
             Igor, su ayudante
             el Monstruo, una combinación
                de muchas partes de
                cadáveres diferentes.

DR. FRANKENPIEDRA: **Tengo** una idea estupenda. Esta noche voy a crear una criatura horrible.

IGOR: Sí, maestro.

DR. F.: Primero necesito un cuerpo. ¿**Tienes** un cuerpo, Igor?

IGOR: Aquí **tiene** usted un cuerpo, maestro; un cuerpo viejo y feo.

DR. F.: Bien, bien. Ahora necesito dos brazos, Igor.

IGOR: Aquí están, maestro. Dos brazos largos y fuertes con mucho pelo.

DR. F.: Bueno. ¿Y las manos?

IGOR: Aquí hay dos manos, una mano de hombre y otra mano de gorila.

DR. F.: ¿Cuántos dedos **tienen** las manos?

IGOR: Diez dedos, maestro.

DR. F.: Perfecto.

IGOR: Pero una mano **tiene** siete dedos y la otra sólo tres.

DR. F.: No importa. Ahora necesito los pies. ¿No **tenemos** pies?

IGOR: Sí, maestro. **Tenemos** un pie grande y otro pequeño.

el lugar *place*
el científico *scientist*
loco *crazy, mad*

cadáver *corpse*

esta noche *tonight*

No importa.
  It doesn't matter.

DR. F.: Está bien. El monstruo no necesita bailar. Pero todavía no **tiene** cabeza.

IGOR: Aquí está, maestro. Una cabeza pequeña con una cara ridícula.

DR. F.: Magnífico. Y ahora, la corriente eléctrica para dar vida al monstruo.

Bzzzzzzzzzzzzzzzzzzzzzzz

IGOR: Mire. El monstruo vive. Quiere hablar.

DR. F.: ¡Habla! ¡Habla!

MONSTRUO: Yo hablo, tú hablas, él habla...

DR. F.: ¡Qué monstruo tan fantástico! Es un profesor de español. Es

_____

(Fill in someone's name, someone who won't get too angry with you.)

todavía *yet*

la corriente *current*
la vida *life*

ACTIVIDAD C

¿Cierto o falso? Work with a partner. Read each statement aloud. If the statement is true, he or she will repeat it. If it is false, he or she will correct the statement.

1. El doctor Frankenpiedra es un científico loco.

    _____

2. El monstruo tiene el cuerpo de un joven.

    _____

3. El monstruo no tiene brazos.

    _____

4. Cada mano tiene cinco dedos.

    _____

5. El monstruo necesita pies para bailar.

    _____

6. La cabeza tiene una cara inteligente.

    _____

7. El doctor usa la electricidad para dar vida al monstruo.

    _____

8. El monstruo no sabe hablar.

    _____

9. El doctor trabaja solo (alone).

_____

10. El monstruo habla español.

_____

Para conversar en clase

Answer these questions in complete Spanish sentences.

1. Describe a un científico.
2. ¿Qué animal tiene un cuerpo grande?
3. ¿Qué animal tiene un cuerpo pequeño?
4. En la clase de español, ¿quién tiene el pelo negro?
5. ¿Quién tiene el pelo rubio?
6. ¿Cuántos pies tiene un perro?
7. ¿Cuántos pies tiene una persona?
8. Describe a un monstruo.

2

Did you find the forms of the irregular verb **tener** in our story? Here are the conjugated forms of **tener**. MEMORIZE them:

yo	**tengo**	_I have_
tú	**tienes**	_you have_
Ud.	**tiene**	_you have_
él ⎫	**tiene**	_he has_
ella ⎭		_she has_
nosotros ⎫	**tenemos**	_we have_
nosotras ⎭		
Uds.	**tienen**	_you have_
ellos ⎫	**tienen**	_they have_
ellas ⎭		

ACTIVIDAD D

You have to pick up someone at the airport that you've never seen before. You need some information about that person. Ask the questions following the example. Work with a partner who will answer your questions.

EXAMPLE: el pelo largo
¿Tiene el pelo largo?

1. la nariz larga

_____

2. las orejas pequeñas

_____

3. el pelo negro

_____

4. los ojos grandes

_____

(Other information you'd like to have)

_____

ACTIVIDAD E

You are telling a friend some things about you and your family.

EXAMPLE: mi papá / el pelo rubio
Mi papá tiene el pelo rubio.

1. mi hermana / la nariz larga

_____

2. mis primos / los pies grandes

_____

3. yo / los ojos verdes

_____

4. mis padres / los ojos azules

_____

5. mi madre / las manos bonitas

_____

6. yo / las piernas largas

_____

ACTIVIDAD F

You and your friends are talking about some of the things you have.

EXAMPLE: Carlos / una bicicleta nueva
Carlos tiene una bicicleta nueva.

1. yo / dos gatos siameses

   _____

2. Jorge y María / un automóvil rojo

   _____

3. usted / muchas blusas bonitas

   _____

4. tú / sombreros elegantes

   _____

5. nosotros / muchos libros

   _____

6. Rosita / el pelo bonito

   _____

7. ustedes / una casa grande

   _____

8. nosotros / muchas flores en el jardín

   _____

3 More about **tener**. There are some very common expressions in Spanish that use the verb **tener**. The comparable English expressions use the verb *to be*:

tener calor	*to be warm*
tener frío	*to be cold*
tener hambre	*to be hungry*
tener razón	*to be right*
no tener razón	*to be wrong*
tener sed	*to be thirsty*

tener sueño	*to be sleepy*
tener suerte	*to be lucky*
tener miedo de	*to be afraid of*
tener _____ años	*to be _____ years old*

EXAMPLES: **Voy a comer porque *tengo* hambre.**   *I am going to eat because I am hungry.*
El bebé *tiene* mucho sueño.   *The baby is very sleepy.*

NOTE: The expressions **tener calor** and **tener frío** are used only if the subject is a person or an animal. For objects, use the verb **estar**:

El muchacho *tiene* calor.   *The boy is warm.*
But:
El café *está* caliente.   *The coffee is warm.*

Here are two more important expressions with **tener**:

tener que + infinitive   *to have to*
tener ganas de + infinitive   *to feel like*

EXAMPLES: ***Tengo que trabajar* esta tarde.**   *I have to work this afternoon.*
***Tengo ganas* de ir al cine.**   *I feel like going to the movies.*

ACTIVIDAD G

Match the Spanish expressions with their English equivalents.

1. Yo tengo hambre. _____   a. She is thirsty.

2. Ella tiene sed. _____   b. He is very warm.

3. Nosotros tenemos frío. _____   c. Mary is 15 years old.

4. Él tiene mucho calor. _____   d. How old are you?

5. María tiene quince años. _____   e. I am not thirsty now.

6. ¿Tiene Ud. que comer ahora? _____   f. You feel like dancing.

7. Yo no tengo sed ahora. _____   g. I am afraid of the water.

8. Tú tienes ganas de bailar. _____   h. I am hungry.

9. ¿Cuántos años tiene Ud.? _____   i. We are cold.

10. Tengo miedo del agua. _____   j. Do you have to eat now?

¡**Fiesta!** Everyone loves a street fair. Can you identify who's who in the picture according to the information given? Write the letter of the picture that corresponds to each of the following sentences.

1. Francisco tiene calor. _____
2. Elena tiene frío. _____
3. La niña tiene miedo. _____
4. Ramiro está contento. _____
5. Gustavo tiene hambre. _____
6. El bebé tiene sueño. _____

7. Antonio es policía. _____
8. Pablo es bajo. _____
9. Alfredo es alto. _____
10. Sara está triste. _____
11. Los abuelos son viejos. _____
12. Beatriz tiene sed. _____

ACTIVIDAD H

Here are some sentences in which a form of **tener** is used. Match these sentences with the pictures they describe.

El bebé tiene un año.
Yo tengo mucho calor.
El perro tiene sed.
Tú tienes que ir a la escuela.
No tengo ganas de estudiar.

Tiene el cuello largo.
Los niños no tienen frío.
Tenemos suerte.
¿Tienes hambre?
Las muchachas tienen el pelo largo.

1. _____

2. _____

3. _____

4. _____

5. _____

6. _____

7. _____

8. _____

9. _____ **10.** _____

ACTIVIDAD I

You are going on a trip to Mexico and are preparing a list of helpful expressions in Spanish. Express the following in Spanish. (Each sentence contains a form of the verb **tener**).

1. I have to take the bus.

_____

2. Are you [_familiar singular_] sleepy now?

_____

3. You [_formal singular_] are very lucky.

_____

4. I am fourteen years old.

_____

5. We feel like eating now.

_____

6. My brother is hungry and I am thirsty.

_____

7. ¿Aren't you [_plural_] cold?

_____

8. No, we are not cold, we are warm.

_____

CONVERSACIÓN

Vocabulario
hacer *(to) do, make*

DIÁLOGO

¿Cuándo tiene Ud. frío?

¿Cuándo tiene Ud. calor?

¿Tiene Ud. siempre razón?

¿Qué tiene Ud. por la noche?

INFORMACIÓN PERSONAL

1. ¿Cuántos años tienes?

   _____

2. ¿A qué hora tienes hambre?

   _____

3. ¿Qué bebes cuando tienes sed?

   _____

4. ¿Tienes buena suerte?

   _____

5. ¿Tienes ganas de estudiar los domingos?

   _____

THE COGNATE CONNECTION

Give the meanings of the following Spanish and English words. Then use each English word in a sentence:

SPANISH	ENGLISH COGNATE
1. vivir (to live)	revive (bring back to life)
2. fiesta	festive
3. noche	nocturnal
4. cine	cinema
5. bien	benefit
6. pan	pantry
7. mirar	mirage
8. mundo	mundane
9. libro	library
10. mano	manual

ENGLISH COGNATES USED IN CONTEXT

1. The lifeguard *revived* the unconscious man.

2. _____

3. _____

4. _____

5. _____

6. _____

7. _____

8. _____

9. _____

10. _____

List some other cognates of Spanish words in this lesson.

PRACTÍCALO

1. Describe yourself:

   EXAMPLE: pelo   Tengo el pelo corto (short).

   1. nariz _____

   2. ojos _____

   3. boca _____

   4. manos _____

   5. orejas _____

   6. brazos _____

2. Name and describe, in Spanish, your favorite soccer player (or just pick one). Say how he or she looks, giving as many details as you can. Accompany your description with a photograph of the player.

CÁPSULA CULTURAL

¡Gol! ¡Gooooool!

What's your favorite football team? The Dallas Cowboys?, the Chicago Bears?, the Miami Dolphins? If you ask a person from Spain or Latin America this question, he or she might answer: the Boca Juniors, the Millonarios, or Real Madrid. These are teams that play **fútbol**, which refers to a different sport, known in the United States as soccer.

Although it was invented by the British, el **fútbol**, or **balompié**, is today the most widely viewed spectator sport in the world and the most popular sport in the majority of the Spanish-speaking countries. In South America they say: **"Los niños aprenden a jugar al fútbol antes que a caminar."** (Children learn to play **fútbol** before they learn to walk.)

Some say that **fútbol** is the most difficult of all sports, because you play it with the clumsiest part of your body: your feet. If you watch a game on TV it looks much easier than it actually is.

Here are some rules (there are many) to play **fútbol**. Each team has one **portero** (goalie) and ten field players, consisting of **defensas** (defenders), **centrocampistas** (mid-fielders), and **delanteros** (forwards). If a player touches the ball with his/her arms or hands, she/he is called for **mano** (hand). Any other part of the body is permitted to touch the ball. Stopping an air ball with the chest is **parar con el pecho**, hitting the ball with the head is **rematar de cabeza**. The word **chutar** comes from English *to shoot* and of course means to kick the ball towards the goal. When a goal is scored, the **aficionados** (fans) become delirious as the TV or radio announcer screams: ¡Gol! ¡Goooooooooooool!

Do you have a **fútbol** team in your school? If you do, try this: the varsity school team plays against those of you who never played soccer before, but the "professionals" play in couples... with one of their legs tied to another teammate's leg. The goalie must also have one leg tied against the goal. Have fun!

Comprensión

1. The Spanish word for soccer is _____.

2. If a player touches the ball with his/her hand, the umpire will call a

   _____.

3. In Spanish, kicking the ball is _____, which comes from English

   _____.

4. **Rematar de cabeza** means hitting the ball with the _____.

Investigación

1. Tell your classmates which team won the last World Cup, and what countries won it more than twice.
2. Check with newspapers and make a list of some of the soccer teams in the United States.

VOCABULARIO

BODY PARTS

la boca *mouth*
el brazo *arm*
la cabeza *head*
la cara *face*
el corazón *heart*
el cuello *neck*
el cuerpo *body*
el dedo *finger*
los dientes *teeth*
el estómago *stomach*

los labios *lips*
la lengua *tongue*
la mano *hand*
la nariz *nose*
el ojo *eye*
la oreja *ear*
el pecho *chest*
el pelo *hair*
el pie *foot*
la pierna *leg*

USEFUL WORDS

solo *alone*
todavía *yet*
la vida *life*

VERBS

tener *to have*

EXPRESSIONS

tener calor *to be warm*
tener frío *to be cold*
tener ganas de... *to feel like...*
tener hambre *to be hungry*

tener miedo de *to be afraid of*
tener que... *to have to...*
tener razón *to be right*
no tener razón *to be wrong*

tener sed *to be thirsty*
tener sueño *to be sleepy*
tener suerte *to be lucky*
tener ____ años *to be years old*

14

¿Qué tiempo hace?

Weather Expressions; Seasons;
the Verb **hacer**

1 ¿Qué tiempo hace?

la primavera

En la primavera hace buen tiempo.

el verano

En el verano hace calor.

el otoño

En el otoño hace fresco.

el invierno

En el invierno hace frío.

In addition to these expressions, there are further ways of describing the weather.

Llueve.

Nieva.

Hace sol.

Hace viento.

ACTIVIDAD A

¿Qué tiempo hace hoy? You are a weather forecaster. Match the following expressions with the correct pictures.

Hace viento.	Hace fresco.	Llueve.
Hace sol.	Hace calor.	Hace buen tiempo.
Hace frío.	Nieva.	Hace mal tiempo.

1. _____   2. _____

3. _____

4. _____

5. _____

6. _____

7. _____

8. _____

9. _____

ACTIVIDAD β

Do you know which months belong to each season?

la primavera	el verano	el otoño	el invierno
_____	_____	_____	_____
_____	_____	_____	_____
_____	_____	_____	_____

2 Did you notice how the weather is expressed in Spanish? You use the verb **hacer** (*to make, to do*). **Hacer** has an irregular **yo** form, but in the other forms it is conjugated like a regular **-er** verb:

yo	hago	*I do, I make*
tú	haces	*you do, you make* (familiar)
Ud.	hace	*you do, you make* (formal)
él } ella	hace	*he does, he makes* / *she does, she makes*
nosotros } nosotras	hacemos	*we do, we make*
Uds.	hacen	*you do, you make* (plural)
ellos } ellas	hacen	*they do, they make*

NOTE: The verb **hacer** is <u>not</u> used in two weather expressions:

Nieva. *It snows. It is snowing.*
Llueve. *It rains. It is raining.*

ACTIVIDAD C

There are many uses of the verb **hacer** besides weather expressions. Here are some things people can do. Fill in the correct form of **hacer**.

1. ¿Qué _____ Uds. en casa ahora?

2. Mi hermana _____ las tareas todos los días.

3. ¿Qué _____ tú esta noche?

4. Nosotros _____ planes para el verano.

5. María y Carmen _____ mucho ruido (noise).

6. Yo _____ un trabajo importante.

7. Ellos _____ una lista de cosas para comprar.

8. ¿ _____ Ud. la comida hoy?

9. Yo _____ muchas preguntas en clase.

10. Nosotras _____ ejercicio todos los días.

ACTIVIDAD D

Label these pictures using as many expressions as fit.

1. _____

2. _____

3. _____

4. _____

Working in groups of four, each student reads a card describing a season. Can you tell which season is being described in each?

Las cuatro estaciones

Es una estación muy bonita. Llueve un poco pero hace buen tiempo. Hay muchas flores. Todo está verde. Unas fiestas importantes son la Pascua Florida, el Día de las Madres y en los Estados Unidos, el primero de abril, el Día de los Inocentes

La estación es _____.

un poco *a little*
verde *green*
Pascua Florida *Easter*

Es la estación favorita de muchos niños porque tienen vacaciones muy largas y no hay clases. Hace mucho calor y mucho sol. Hay mucha gente en las playas. Los días son largos y las noches son cortas. La fiesta más importante en los Estados Unidos es el Día de la Independencia.

La estación es _____.

gente *people*
playa *beach*

Abren las escuelas y los niños regresan a las clases. Muchos niños están tristes, pero es una estación bonita. No hace frío. No hace mucho calor. Pero hace mucho viento. Los días de fiesta son el Día de la Raza (el aniversario del descubrimiento de América por Cristóbal Colón), la Víspera de Todos los Santos y el Día de Acción de Gracias.

La estación es _____.

abren *they open*
regresar *to return*

el Día de la Raza
  Columbus Day
la Víspera de Todos los
  Santos *Halloween*

Hace mucho frío y nieva. Las personas necesitan mucha ropa cuando salen de la casa. Las noches son largas y mucha gente cree que es una estación triste. Pero hay muchas fiestas populares como la Navidad, los cumpleaños de Lincoln, Washington y King y el Día de San Valentín (el Día de los Enamorados).

La estación es _____.

ropa *clothes*

ACTIVIDAD **E**

Complete the sentences based on the what you have just read.

1. El año tiene cuatro _____.
2. Las estaciones son la _____, el _____,
    el_____.
3. La estación de las flores se llama _____.
4. Los muchachos no van a la escuela en _____.
5. En el verano hace mucho _____ y mucho _____.
6. Los niños regresan a la escuela en _____.
7. El día en que celebramos el descubrimiento de América se llama en español
    _____.
8. En el _____ nieva mucho.
9. Muchos niños reciben regalos (presents) en _____.
10. El primero de enero celebramos _____.

Para conversar en clase

1. ¿Cuál es tu estación favorita? ¿Por qué?
2. ¿Por qué es bonita la primavera?
3. ¿Es triste el invierno? ¿Por qué?
4. ¿Qué recibe la gente el Día de San Valentín?

ACTIVIDAD **F**

Which holidays are suggested by these pictures? Choose your answers from the
following list:

el Año Nuevo
el Cumpleaños de Lincoln
el Día de Acción de Gracias
el Día de las Madres
el Día de los Enamorados

la Navidad
el Día de la Independencia
el Día de la Raza
la Pascua Florida
la Víspera de Todos los Santos

1. _____   2. _____   3. _____

4. _____ 5. _____ 6. _____

7. _____ 8. _____

9. _____ 10. _____

3

The verb **hacer** has another special use in Spanish. Look at these sentences:

Hace dos años que vivo aquí. *I have been living here for two years.*
Hace un mes que estudias español. *You have been studying Spanish for a month.*

Hace una semana que Carlos está enfermo. *Carlos has been sick for a week.*

In Spanish, the construction **hace** + *an expression of time* + **que** + *the present tense* expresses an action or event that began in the past and is still going on:

EXPRESSION OF TIME			PRESENT TENSE	
Hace	dos años	que	vivo	aquí.
Hace	una semana	que	Carlos está	enfermo.

ACTIVIDAD G

You are telling a friend for how long you've been doing certain things.

EXAMPLE: estudiar español / un año
Hace un año que estudio español.

1. vivir en la ciudad / cinco años

   _____

2. salir con Rosa (Jorge) / tres meses

   _____

3. tener un automóvil / una semana

   _____

4. practicar judo / seis meses

   _____

5. estar enfermo / cuatro días

   _____

6. ser amigo (amiga) de José / muchos años

   _____

7. trabajar en el verano / dos años

   _____

8. no ver a María / tres semanas

   _____

CONVERSACIÓN

Vocabulario

me gusta *I like (it)*

no sé nadar *I don't know how to swim*

entonces *then*

saber *to know, to know how to*

prácticamente *practically*

DIÁLOGO

Complete this conversation by using appropriate expressions.

INFORMACIÓN PERSONAL

1. ¿Qué tiempo hace hoy?

   _____

2. ¿A qué hora haces las tareas?

   _____

3. ¿Qué haces los domingos?

   _____

4. ¿Qué haces el Día de la Independencia?

   _____

5. ¿Qué haces en el verano?

   _____

THE COGNATE CONNECTION

Give the meanings of the following Spanish and English words. Then use each English word in a sentence:

	SPANISH		ENGLISH COGNATE	
1.	agua (water)		aquatic (living in water)	
2.	brazo	_____	embrace	_____
3.	ciento	_____	century	_____
4.	nuevo	_____	novelty	_____
5.	enfermo	_____	infirmary	_____
6.	fácil	_____	facilitate	_____
7.	alumno	_____	alumni	_____
8.	lavar	_____	lavatory	_____
9.	menos	_____	minus	_____
10.	primero	_____	primary	_____

ENGLISH COGNATES USED IN SENTENCES

1. A shark is an aquatic creature.

2. _____

3. _____

4. _____

5. _____

6. _____

7. _____

8. _____

9. _____

10. _____

List some other cognates of Spanish words in this lesson.

PRACTÍCALO

1. Do you have a favorite season or time of year? Write a short paragraph in Spanish (about five or six sentences) telling: (a) your favorite season; (b) the months that fall in that season; (c) the kind of weather one can usually expect; (d) the holidays that occur in that season; and (e) two things that you like to do during the season.
2. Select a few pictures from magazines or photographs of friends or members of your family and write a detailed description of what's going on in the picture. Review previous chapters if you need vocabulary. Say who is in the picture, what they look like, what are they doing, how is the weather, and in what season does the action take place. Draw bubbles and make up conversations.
3. Show your teacher and classmates how much have you learned about weather expressions and seasons. Here are some ideas: provide a weather broadcast for the week in Spanish (if you want to express future, you may use the formula "**va a…**" ex.: **El lunes va a llover** *It's going to rain on Monday*). You may also design collages or drawings with text illustrating different seasons.

CÁPSULA CULTURAL

¡Año nuevo, vida nueva!

It's 12 midnight, December 31st, New Year's Eve—and we are in the Puerta del Sol, the central square of Madrid, Spain. Thousands of people are congregated there to perform a strange ritual: **las doce uvas**. The clock is starting to strike and everyone is holding a bunch of grapes, getting ready to say good-bye to the old year. At each stroke of the clock, everyone eats just one grape. Why? You ask.

Well, the twelve grapes represent the twelve months of the year. According to the tradition, eating twelve grapes or raisins, one at each stroke of the clock, assures twelve months of good fortune in the coming year.

In homes around the country, after eating the grapes it is customary to toast the new year with a cold glass of champagne, sparkling wine or **sidra**, the famous bubbly Spanish apple cider.

So, let's all raise our glasses and say: ¡Próspero Año Nuevo!

Comprensión

1. La Puerta del Sol is the _____ of Madrid.

2. The ritual of twelve grapes is called _____.

3. The twelve grapes represent _____.

4. Spanish apple cider is called _____.

5. _____ is equivalent to Happy New Year!

Investigación

How is New Year's Eve celebrated in different places in our country? Around the world?

VOCABULARIO

SEASONS

la primavera *spring*
el verano *summer*
el otoño *fall*
el invierno *winter*

HOLIDAYS

el Día de Acción de Gracias *Thanksgiving*
el Día de la Raza *Columbus Day*
la Víspera de Todos los Santos *Halloween*
la Navidad *Christmas*
la Pascua Florida *Easter*

WEATHER EXPRESSIONS

Hace buen tiempo. *It's nice weather.*
Hace calor. *It's hot.*
Hace fresco. *It's cool.*
Hace frío. *It's cold.*
Hace mal tiempo. *It's bad weather.*

Hace sol. *It's sunny.*
Hace viento. *It's windy.*
Llueve. *It's raining.*
Nieva. *It's snowing.*

IMPORTANT WORDS

la gente *people*
la playa *beach*
un poco *a little*
regresar *to return*
verde *green*

15

Mi casa

Possessive Adjectives

1

Look at the pictures and try to guess the meanings of the new words.

la casa **el edificio de apartamentos** **el apartamento**

el comedor **la sala** **el (cuarto de) baño**

la cocina **el dormitorio**

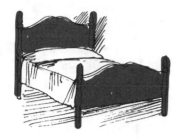

la cama

la mesa

la alfombra

el sillón

el sofá

el televisor

el refrigerador/la nevera

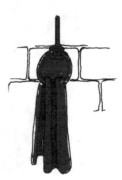

la toalla

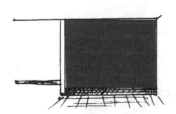

la pared

el techo

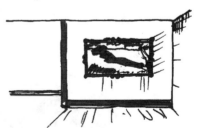

el cuadro

ACTIVIDAD A

You have just moved into a new house. Tell the movers where to put your things.

EXAMPLE: El sillón está en la sala.

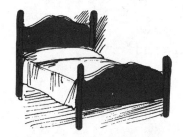

1. _____

2. _____

3. _____

4. _____

5. _____

6. _____

7. _____

8. _____

ACTIVIDAD ß

You are describing your house. Complete these sentences.

1. Yo vivo en _____.

2. Mi madre prepara la comida en _____.

3. Yo como en _____.

4. Miro la televisión en _____.

5. En la sala hay _____.

6. Yo duermo (I sleep) en _____.

2   In this lesson you are going to learn how to say that something belongs to someone. You will learn about possession and possessive adjectives.

Es mi perro.

Son mis perros.

Look at the pictures. The little girl holding one dog says **Es mi perro**. The other girl, holding many dogs, says **Son mis perros**. How many words are there in Spanish for *my*?

_____ When is **mis** used? _____.

ACTIVIDAD C

Say what you want. Form sentences with mi or mis using the verb **querer**.

EXAMPLE: cuaderno   Quiero mi cuaderno.

1. lápices   _____

2. regla   _____

3. diccionario _____

4. plumas _____

5. composición _____

6. mapas _____

Es tu gato.   **Son tus gatos.**

In these pictures, a boy says to one girl **Es tu gato** (*It's your cat*) and to the other girl **Son tus gatos** (*They are your cats*).

How many cats does the first girl have? _____ How many cats does the second girl

have? _____ What are the two words in Spanish for *your* (familiar)? When is **tu**

used?_____ When is **tus** used? _____.

ACTIVIDAD D

You are asking a friend where some people and things are. Form questions with **tu** or **tus** using the expressions: ¿Dónde está? (singular)
                                    ¿Dónde están? (Plural)

EXAMPLE: bicicleta   ¿Dónde está tu bicicleta?

1. televisor _____

2. ojos _____

3. dormitorio _____

4. cuarto de baño _____

5. libros _____

Es *nuestro* padre.

Es *nuestra* madre.

Son *nuestros* amigos.

Son *nuestras* amigas.

Now look at this group of possessive adjectives:

Es nuestro padre.	*It's our father.*
Es nuestra madre.	*It's our mother.*
Son nuestros amigos.	*They are our friends.*
Son nuestras amigas.	*They are our friends.*

What one word of English stands for the four Spanish words **nuestro**, **nuestra**, **nuestros**, and **nuestras**?_____

When do you use **nuestro? nuestra? nuestros? nuestras?** _____

ACTIVIDAD E

Some friends are visiting your family and you show them around. Form sentences with **nuestro**, **nuestra**, **nuestros**, and **nuestras.**

EXAMPLE: dormitorios   Aquí están nuestros dormitorios.

1. sala _____

2. televisor _____

3. (cuarto de) baño _____

4. refrigerador _____

5. lámparas _____

6. cocina _____

7. sillones _____

8. mesas _____

9. cocina _____

10. sillas _____

Es su libro.

Son sus libros.

In these two pictures, a boy is saying **Es su libro** and **Son sus libros**. By now you know that **su** is used with a singular noun and **sus** with a plural noun. The problem here is different: Is the boy talking to the man and saying *It's your* (formal) *book* or is he pointing to the man and saying *It's his book*? The context of the conversation will usually tell you what **su** and **sus** are referring to. Here are the four different meanings.

su libro	*your* (formal) *book*	**sus libros**	*your* (formal) *books*
	his book		*his books*
	her book		*her books*
	their book		*their books*

ACTIVIDAD F

You're discussing your friends and family. How would you describe their possessions?

EXAMPLE: discos (la hermana)   Sus discos son modernos.

1. libros (los primos) _____ son interesantes.

2. bicicleta (el niño) _____ es negra.

3. perros (Luisa) _____ son simpáticos.

4. sombrero (mamá) _____ es blanco.

5. dormitorio (los abuelos) _____ es grande.

6 Let's summarize all the possessive adjectives.

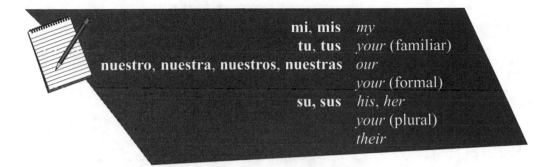

mi, **mis**	*my*
tu, **tus**	*your* (familiar)
nuestro, nuestra, nuestros, nuestras	*our*
	your (formal)
su, sus	*his, her*
	your (plural)
	their

ACTIVIDAD **G**

Select the correct possessive adjective.

1. (mi, mis) amigos
2. (tu, tus) cama
3. (nuestro, nuestra, nuestros, nuestras) casas
4. (su, sus) sillas
5. (su, sus) tías
6. (mi, mis) cuarto
7. (su, sus) fiesta
8. (su, sus) familia
9. (nuestro, nuestra, nuestros, nuestras) dinero
10. (mi, mis) periódicos

ACTIVIDAD **H**

Complete the sentences with the correct possessive adjective.

1. (our) _____ profesora es española.
2. (her) _____ automóvil es rojo.
3. (my) _____ padre trabaja en un garaje.
4. (our) _____ amigos corren en el parque.
5. (your, familiar) _____ periódico es viejo.
6. (his) _____ escuela es moderna.
7. (their) _____ médico no trabaja los sábados.

8. (your, formal) _____ secretaria sabe español.

9. (his) _____ casa tiene muchos cuartos.

10. (her) _____ blusas son elegantes.

ACTIVIDAD I

Express the following sentences in Spanish.

EXAMPLE: His cat is big.   Su gato es grande.

1. Her eyes are pretty. _____

2. I use my dictionary. _____

3. His mother is at home. _____

4. Your (formal) dog is here. _____

5. She is in her room. _____

6. We study in our room. _____

7. Their friends are intelligent. _____

8. His teacher (masc.) is interesting. _____

9. Is your (formal) house large? _____

10. Their schools are modern. _____

Now you are ready to read this conversation between two little girls, Anita and Luisita. You can see that they're trying hard to impress each other.

Hablar por hablar

ANITA: Buenas tardes, Luisita. ¿Cómo estás?

LUISITA: Regular, Anita. ¡Tengo mucho trabajo!

ANITA: ¿Trabajo? ¿Por qué tienes tanto trabajo?

LUISITA: **Nuestra** familia vive en una casa muy grande. Hay muchos cuartos y yo siempre ayudo a **mi** mamá cuando ella limpia la casa.

ANITA: Ah, sí, comprendo perfectamente. **Nuestro** apartamento es inmenso. Tenemos diez cuartos. **Mis** padres tienen un dormitorio muy

ayudar *to help*
limpiar *to clean*

grande. **Mi** dormitorio es muy bonito y **mi** hermano tiene un televisor y una computadora en **su** dormitorio.

LUISITA: ¿Cuántos cuartos de baño tienes en **tu** apartamento?

ANITA: Tres. También tenemos una sala enorme un comedor donde comemos y una cocina donde trabaja **nuestra** criada.

la criada *maid*

LUISITA: Sí, nosotros también tenemos una criada para preparar y para servir la comida.

(Entra la mamá de Luisita.)

MAMÁ (a **su** hija): Luisita, ¿por qué dices que tenemos una criada? Tú sabes que no es verdad.

dices *you say*
no es verdad *it isn't true*
hablar por hablar *to talk for talk's sake*

LUISITA: Yo sé, mamá. Pero eso es sólo hablar por hablar. Anita sabe que **nuestras** familias viven en apartamentos pequeños.

ACTIVIDAD J

Complete the sentences based on the story.

1. Luisita y Anita son _____.

2. Luisita siempre _____ cuando su mamá _____.

3. Luisita, responde que su casa tiene _____.

4. El apartamento de Anita es _____ y tiene _____.

5. La criada prepara la comida en _____.

6. La familia come en _____.

7. En el apartamento de Anita hay _____ dormitorios y

_____ cuartos de baño.

8. La verdad es que Anita y Luisita viven en _____.

Para conversar en clase

1. Compara una casa con un apartamento. ¿Qué es diferente? ¿Qué es similar?

2. ¿Qué prefieres tú? ¿Por qué?

CONVERSACIÓN

Vocabulario

el aire acondicionado *air conditioning*

totalmente gratis *absolutely free*

DIÁLOGO

Complete the following dialog using words you've learned so far.

INFORMACIÓN PERSONAL

1. ¿Vives en una casa o en un apartamento?

    _____

2. ¿Cuántos dormitorios hay en tu casa?

    _____

3. ¿Cuántos pisos tiene tu casa (el edificio donde vives)?

    _____

4. ¿Dónde está la televisión en tu casa?

    _____

5. ¿Dónde comen ustedes?

    _____

6. ¿Qué muebles (furniture) hay en la sala de tu casa?

    _____

7. ¿En tu casa quién prepara la comida?

    _____

THE COGNATE CONNECTION

Give the meanings of the following Spanish and English words. Then use each English word in a sentence:

SPANISH	ENGLISH COGNATE
1. aprender (to learn)	apprentice (beginner in a trade or occupation)
2. bailar _____	ballet _____
3. cantar _____	chant _____
4. cuanto _____	quantity _____
5. día _____	diary _____

6. escribir _____ inscribe _____

7. feliz _____ felicity _____

8. diez _____ decimal _____

9. libre _____ liberty _____

10. pobre _____ poverty _____

THE COGNATE CONNECTION

1. In order to become a skilled carpenter, one has to start out as an *apprentice*.

2. _____

3. _____

4. _____

5. _____

6. _____

7. _____

8. _____

9. _____

10. _____

List some other English cognates of the Spanish words in this lesson.

PRACTÍCALO

Draw your house and label the rooms and their furniture in Spanish.

CÁPSULA CULTURAL

La casa española

In Spanish towns and cities, almost everyone lives in an apartment. Out of town, where there is more space, people live in houses built in the traditional style of the region in which they live.

Unlike private houses in the United States, most Spanish homes do not have front yards or backyards with lawns and gardens. The traditional Spanish house, particularly in Southern Spain, is built around an open yard or court. This inner courtyard is called **el patio**. The patio is filled with potted plants and flowers and at times even has benches and a fountain.

This arrangement allows the family to relax outdoors in the sun while at the same time, enjoying the privacy of a closed-in area within their home.

A corridor, called **el zaguán**, leads from the street to the patio.

The typical Spanish home has a roof of curved, red tiles (**tejas**), a wrought-iron or wooden balcony, and iron grills (**rejas**) covering the ground floor windows. These iron bars let in fresh air while protecting the house.

They have also led to an interesting Spanish custom. Before being allowed into the home to be introduced to the girl's parents, the boyfriend got to know the girl by conversing with her through the iron grill. This custom was humorously called "**comer hierro**" (to eat iron).

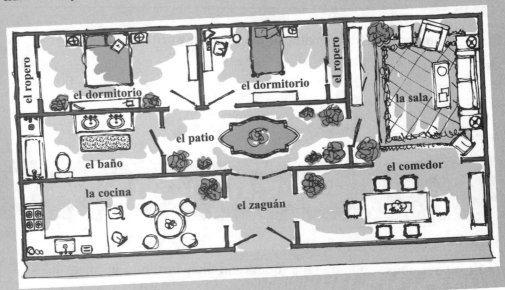

Comprensión

1. The traditional Spanish house is built around an open _____ called _____.

2. The patio usually has _____.

3. A corridor which leads from the patio to the street is called _____.

4. The typical Spanish home has a roof of _____ called _____.

5. _____ are iron grills covering the ground floor windows.

Investigación

Find pictures of Spanish colonial architecture. In what parts of the United States are these homes generally found? What are some of the advantages of this type of building?

VOCABULARIO

HOUSE

el apartamento *apartment*
el baño *bathroom*
la cama *bed*
la casa *the house*
la cocina *kitchen*
el comedor *dining room*
el cuadro *painting*

el dormitorio *bedroom*
el edificio *building*
la mesa *table*
la nevera *refrigerator*
la pared *wall*
el refrigerador *refrigerator*

la sala *living room*
el sillón *armchair*
el sofá *sofa*
el techo *ceiling*
el televisor *TV set*
la toalla *towel*

WORDS TO REMEMBER

mi(s) *my*
nuestro, a (s) *our*
tu(s) *your* (fam.)
su(s) *your* (formal), *his, her*

EXPRESSIONS

aquí están *here are*
hablar por hablar *to talk for talk's sake*
no es verdad *it isn't true*

OTHER IMPORTANT WORDS

ayudar *to help*
gratis *free of cost*

16

La comida

What to Say When You Like Something;
*the Verb **gustar***

1 Las comidas del día

EL DESAYUNO

el jugo de naranja

el cereal con leche

los huevos fritos
y el tocino

la tostada con
mantequilla

la taza de café

el azúcar

286

ACTIVIDAD A

Las comidas para hoy. Our chef today is **Carlos el cocinero** (*Charles the cook*). He has prepared three meals for us. Here is the first: breakfast. Can you describe in Spanish what it consists of? Make a list of all of the items on the table.

El desayuno

El ALMUERZO

el sandwich de jamón y queso

la ensalada de lechuga y tomate

la mayonesa

la mostaza

la sal

la pimienta   **las papas fritas**   **la soda**

la pera   **la manzana**   **las uvas**

ACTIVIDAD ß

Here is Carlos the Cook's menu for our lunch. List the items.

El almuerzo

ACTIVIDAD C

You are having lunch with several friends at a cafeteria and you need certain items.

EXAMPLE: Necesito la sal, por favor.

1. _____   2. _____   3. _____

4. _____   5. _____

LA CENA/LA COMIDA

el pan   **la sopa**   **el pollo**

el bistec   **el rosbif**   **el arroz con frijoles**
            la carne

las papas

**las legumbres
los vegetales**

el pudín (de chocolate)   **el helado (de vainilla)**   **el vino**

ACTIVIDAD D

And here is our dinner menu. Label the items.

ACTIVIDAD E

You ask the waiter what the special is for today. Here is what he says:

EXAMPLE: Hay pollo.

Primero hay   de   También hay   o

con   y   o .

Finalmente hay   ,   o   . El

y   están incluídos.

Other useful words:

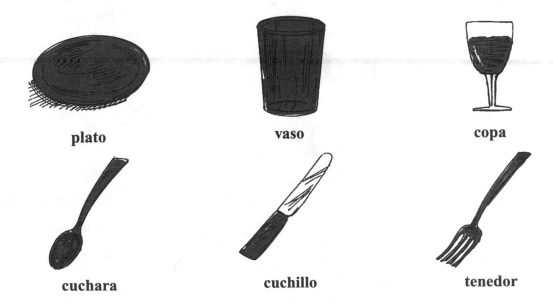

plato   **vaso**   **copa**

cuchara   **cuchillo**   **tenedor**

2

Look carefully at these sentences using forms of the verb **gustar** (to like):

I	II
Me gusta el jugo de naranja.	**Me gustan las manzanas.**
Me gusta el jamón.	**Me gustan el jamón y el queso.**
Me gusta el pan.	**Me gustan los huevos fritos.**

Me gusta and **me gustan** mean *I like* in Spanish. What's the difference between the two expressions? How many items are referred to in each example in Group I? _____
How many items are referred to in the examples in Group II? _____

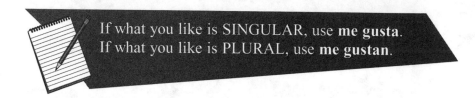

If what you like is SINGULAR, use **me gusta**.
If what you like is PLURAL, use **me gustan**.

Use the correct form of **gustar** with the following:

_____ la leche. _____ el fútbol.
_____ las naranjas.

What if you like an activity? Look at these examples:

Me gusta comer.	*I like to eat well.*
Me gusta jugar al fútbol.	*I like to play football.*
Me gusta nadar.	*I like to swim.*

Me gusta is used when followed by the INFINITIVE of a verb.

ACTIVIDAD F

Say that you like the following:

EXAMPLE: Me gustan sus ojos.

1. _____ leer novelas.   6. _____ bailar.

2. _____ las tostadas.   7. _____ la música moderna.

3. _____ las uvas.   8. _____ los helados.

4. _____ Madrid.   9. _____ las papas fritas.

5. _____ el pelo largo.   10. _____ los dulces.

3

Now that you know how to say I like—**me gusta** or **me gustan**—here are the other forms:

Te gusta la pera.	*You* (familiar) *like the pear.*
Te gustan las peras.	*You* (familiar) *like (the) pears.*
Le gusta el restaurante.	*You* (formal) *like the restaurant.*
	He/She likes the restaurant.
Le gustan los restaurantes.	*You* (formal) *like (the) restaurants.*
	He/She likes (the) restaurants.
Nos gusta la ensalada.	*We like the salad.*
Nos gustan las ensaladas.	*We like (the) salads.*
Les gusta la bebida.	You (plural) *like the drink.*
	They like the drink.
Les gustan las bebidas.	*You* (plural) *like the drinks.*
	They like the drinks.

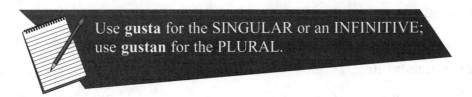

Use **gusta** for the SINGULAR or an INFINITIVE; use **gustan** for the PLURAL.

CAUTION: With **gustar**, never use the subject pronouns **yo, tú, él, ella, Ud., nosotros, Uds., ellos, ellas**.

*The reason for this is that **gustar** doesn't really mean *to like*; it means **to please** or **to be pleasing to**. Therefore, when we say **Me gusta la sopa**, what we are actually saying is "the soup pleases me," **Nos gustan las ensaladas** means "the salads please us" etc.

4

What happens when you don't like or when someone doesn't like something? Simply place the word **no** before the pronoun:

No me gusta la sopa.	*I don't like (the) soup.*
No le gustan las legumbres.	*He/She doesn't (You don't) like vegetables.*

Complete:

1. *We don't like the apples.* 1. _____ _____ gustan las manzanas.

2. *He doesn't like the mayonnaise.* 2. _____ _____ gusta la mayonesa.

Asking a question is even simpler. Just use a rising pitch of voice when speaking or place question marks when writing:

¿Te gusta el pollo?	*Do you like (the) chicken?*
¿No les gustan los vasos?	*Don't you like the glasses?*

Complete:

1. *Do you* (formal, sing.) *like the meal?*   1. _____ _____ la comida?

2. Do they like the eggs?   2. _____ _____ los huevos?

ACTIVIDAD G

Match the English meaning with the Spanish expression:

1. Me gusta el cine.   _____   a. He doesn't like to write.

2. ¿Te gusta mi planta?   _____   b. Does she like the flowers?

3. No le gusta escribir.   _____   c. I don't like hats.

4. Nos gustan los días de fiesta.   _____   d. Do you like my plant?

5. ¿Le gustan las flores?   _____   e. They like vegetable soup.

6. ¿No les gusta la soda fría?   _____   f. I like the movies.

7. No me gustan los sombreros.   _____   g. You like the tomato salad.

8. Les gusta la sopa de legumbres.   _____   h. We like the white house.

9. Te gusta la ensalada de tomates.   _____   i. Don't they like cold soda?

10. Nos gusta la casa blanca.   _____   j. We like the holidays.

ACTIVIDAD H

You are discussing your likes and dislikes with some people. Write a sentence for each subject (indicated by the pronoun in parentheses):

EXAMPLES:	el café (yo)	Me gusta el café.
	no / las papas (Uds.)	No les gustan las papas.

1. caminar (nosotros) _____

2. no / el teatro (tú) _____

3. estudiar español (ellos) _____

4. la leche fría (ella) _____

5. las clases de español (Ud.) _____

6. la comida mexicana (yo) _____

7. no / estudiar mucho (Uds.) _____

8. las manzanas rojas (nosotros) _____

9. no / la mostaza (tú) _____

10. los huevos fritos (él) _____

5

As you have probably noticed, a problem may arise when **le** or **les** is used with forms of **gustar**. Imagine that you had to say something like this in Spanish:

She likes to dance and he likes to sing. What do you like to do?

If you say

Le gusta bailar y le gusta cantar. ¿Qué le gusta hacer?

the meaning would not be clear. So, for clarity, you say:

A ella le gusta bailar y a él le gusta cantar. ¿Qué le gusta hacer a usted?

To clarify the meaning of **le gusta, les gusta, le gustan,** or **les gustan,** use **a** plus the personal pronoun (**él, ella, ellos, ellas, Ud. or Uds.**):

A ellos **les gusta mirar la televisión.**
A usted **no le gusta trabajar.**
¿*A ella* **le gustan las rosas?**

6

Now look at one more situation involving the use of gustar:

A Jorge **le gustan las frutas.**
A los niños **les gustan los helados.**

To say that someone likes (or dislikes) something and the someone is a name or a noun, use **a** plus the name or noun before **le(s) gusta(n).** (Remember that **a + el = al: Al niño le gusta el helado.**)

ACTIVIDAD I

Answer the following questions in the affirmative.

1. ¿Al niño le gusta la sopa?

    _____

2. ¿A ella le gusta el café con azúcar?

    _____

3. ¿A Juanita le gustan las uvas?

    _____

4. ¿A ella le gusta caminar?

    _____

5. ¿A ellos les gustan los tomates?

    _____

6. ¿A los profesores les gustan las vacaciones?

    _____

7. ¿A él le gusta el cereal con leche?

    _____

8. ¿Al bebé le gusta el jugo?

    _____

ACTIVIDAD J

Make all sentences in Actividad I negative.

1. _____

2. _____

3. _____

4. _____

5. _____

6. _____

7. _____

8. _____

Now enjoy this conversation in a restaurant:

Una cena en el restaurante

CAMARERO: Muy buenas tardes.

SR. QUESADA: Buenas tardes. Una mesa para dos, por favor.

CAMARERO: Aquí está. ¿Desean Uds. tomar algo?

SR. QUESADA: No, gracias. ¿Tiene Ud. un menú?

SRA. DE QUESADA: Ay, **me gusta** comer en un restaurante. ¡Hay muchas cosas diferentes! ¿No **te gusta** también, mi vida?

SR. QUESADA: Sí, claro. Bueno, yo quiero pollo con papas fritas y un vaso de vino. Y de postre, un helado de vainilla.

SRA. QUESADA: Oh, no, Pepe. Yo creo que tú estás muy gordo. No necesitas ni papas fritas ni helado. También, el azúcar no es bueno para la salud. ¿No **te gustan** los huevos?

SR. QUESADA: Pero Lupita, mi amor…

SRA. QUESADA: Camarero, dos huevos duros, una tostada y un vaso de agua fría para mi marido.

SR. QUESADA: ¡Ay de mí!

CAMARERO: Ud., señora, ¿qué va a pedir?

SRA. QUESADA: Como soy flaca, yo voy a comer un bistec con puré de papas, una soda y, de postre, el pudín de chocolate. **Nos gusta** tanto comer en los restaurantes, amorcito, ¿no es verdad?

el camarero *waiter*

tomar (beber) *to drink*

mi vida *my darling*
claro *of course*

ni… ni *neither. . . nor*
la salud *health*
huevos duros
    hard-boiled eggs

¡Ay de mí! *poor me*

puré de papas
    mashed potatoes
amorcito *dear, honey*
¿No es verdad? *Right?*

ACTIVIDAD K

Answer these questions in complete sentences:

1. ¿Dónde están los señores Quesada?

   _____

2. ¿Les gusta a ellos comer en restaurantes?

   _____

3. ¿Qué desea el Sr. Quesada?

   _____

4. ¿Qué le gusta de postre?

   _____

5. ¿Qué cree la señora Quesada?

   _____

6. Según (according to) la señora Quesada, ¿qué debe comer su marido?

   _____

7. ¿Cómo es la señora Quesada?

   _____

8. ¿Qué le gusta comer a ella?

   _____

9. ¿Le gustan los huevos duros al Sr. Quesada?

   _____

10. ¿Qué carne le gusta a la señora Quesada?

   _____

Para conversar en clase

1. ¿Qué te gusta hacer los domingos?
2. ¿Qué carne te gusta?
3. ¿Qué frutas te gustan?
4. ¿Te gusta comer en un restaurante? ¿Por qué?
5. ¿Qué no te gusta comer?

CONVERSACIÓN

DIÁLOGO

You are the second person in the dialog. Write an original response to each dialog line.

INFORMACIÓN PERSONAL

1. ¿Qué te gusta comer en el desayuno?

2. ¿Qué te gusta comer en el almuerzo?

3. ¿Qué te gusta comer en la comida?

_____

_____

_____

_____

PRACTÍCALO

The Spanish Club is planning a food festival. Design a menu with Spanish names and English equivalents.

CÁPSULA CULTURAL

El sandwich cubano

Have you ever eaten a hero, a hoagie, or a sub (marine)? These are all, of course, different names for that wonderful sandwich made from a half-loaf of crisp Italian or French bread and filled with all sorts of cold cuts, cheeses, spreads, and other delicacies.

But did you know that Latin American countries have a similar food item called **un sandwich cubano**? This sandwich is made from a long, crusty bread called **pan de flauta** (*flute bread*) and is filled with **jamón** (*ham*),

mortadela (*a type of bologna*), **pierna de puerco** (*fresh pork*), **queso** (*cheese*), and **pepinillos** (*pickles*). It is placed in the oven just before being served, so that the cheese melts.

But what if you're not hungry enough to finish a whole **sandwich cubano**? No problem. If you are in Little Havana (the Cuban section of Miami), just drop into any food shop or restaurant and order **una media noche** (*a midnight*), which is the same filling in a roll.

And, if you're thirsty? Then, you've got to have a **batido**, an ice-cold shake made from tropical fruits. Would you like to know how it's made? It's really very simple. You can make one for yourself right at home. The main ingredients of every **batido** are fruit (bananas, pineapple, or other fruits), milk, sugar, crushed ice, and—if you really want a thick, rich shake—a raw egg. Mix all the ingredients in a blender for two to three minutes, pour into a tall glass, and enjoy!

Comprensión

1. The bread used in a **sandwich cubano** is _____.

2. Mortadela is a type of _____.

3. A smaller version of the **sandwich cubano** is a _____

   _____.

4. The Cuban section of Miami is called _____.

5. A popular tropical fruit drink is _____.

Investigación

Find out about the Cuban Americans in the United States. How many are there? Where do they live principally? What are some of their contributions to our country—in food, music, business, the arts?

VOCABULARIO

FOOD

el almuerzo *lunch*
el arroz *rice*
el azúcar *sugar*
el bistec *steak*
el café *coffee*
la carne *meat*
la cena *dinner*
el cereal *cereal*
el desayuno *breakfast*
la ensalada *salad*
los frijoles *beans*
el helado *ice cream*
el huevo *egg*

los huevos duros hard-
   boiled eggs
el jamón *ham*
el jugo *juice*
la leche *milk*
la lechuga *lettuce*
las legumbres *vegetables*
la mantequilla *butter*
la manzana *apple*
la mostaza *mustard*
la naranja *orange*
el pan *bread*
las papas fritas *French fries*

la pera *pear*
la pimienta *pepper*
el pollo *chicken*
el queso *cheese*
la sal *salt*
la sopa *soup*
el tomate *tomato*
la tostada *toast*
las uvas *grapes*
los vegetales *vegetables*
el vino *wine*

UTENSILES

la copa *wine goblet*
la cuchara *spoon*
el cuchillo *knife*
el plato *dish*
la taza *cup*
el tenedor *fork*
el vaso *glass*

EXPRESSIONS

me gusta... *I like . . .*
¡Claro! *Of course!*

IMPORTANT WORDS

el camarero *waiter*
salud *health, cheers!*

Repaso IV
(Lecciones 13-16)

Lección 13

The verb **tener** is an irregular verb meaning *to have*. Memorize all of its forms:

yo	**tengo**	nosotros	
tú	**tienes**	nosotras	**tenemos**
Ud.		Uds.	
él, ella	**tiene**	ellos, ellas	**tienen**

Learn the meanings of these special expressions with tener. They may be used with any subject representing a person or animal.

tener calor	*to be warm*
tener frío	*to be cold*
tener hambre	*to be hungry*
tener sed	*to be thirsty*
tener razón	*to be right*
no tener razón	*to be wrong*
tener sueño	*to be sleepy*
tener suerte	*to be lucky*
tener miedo	*to be afraid*
tener _____ años	*to be _____ years old*
tener que + infinitive	*to have to*
tener ganas de	*to feel like*

EXAMPLES:

Yo tengo calor.	*I'm warm.*
Nosotros tenemos sed.	*We're thirsty.*
Mi mamá tiene que trabajar.	*My mother has to work.*

If the subject is not a person or an animal, use the verb **estar**:

La comida está fría.	*The food is cold.*

Lección 14

The verb **hacer** is an irregular verb meaning to make, to do. MEMORIZE all of its forms:

yo	**hago**	nosotros	
tú	**haces**	nosotras	**hacemos**
Ud.		Uds.	
él	**hace**	ellos	**hacen**
ella		ellas	

Hacer is used in expressions of weather:

Hace (mucho) calor.	*It's (very) hot.*
Hace (mucho) frío.	*It's (very) cold.*
Hace fresco.	*It's cool.*
Hace (mucho) sol.	*It's (very) sunny.*
Hace (mucho) viento.	*It's (very) windy.*
Hace buen tiempo.	*It's beautiful.*
Hace mal tiempo.	*It's bad (weather).*

Note also:	**Llueve.**	*It's raining.*
	Nieva.	*It's snowing.*

Las estaciones

la primavera	**el otoño**
el verano	**el invierno**

Lección 15

The possessive adjectives are used to express that something belongs to someone:

mi, mis	*my*
tu, tus	*your* (familiar)
nuestro, nuestra, nuestros, nuestras	*our*
su, sus	*your* (formal)
	his, her
	your (plural)
	their

Lección 16

a. Expressing "to like" in Spanish:

me gusta(n)	*I like*
te gusta(n)	*you like* (familiar)
le gusta(n) {	*you like* (formal) *he likes* *she likes*
nos gusta(n)	*we like*
les gusta(n) {	*you like* (plural) *they like*

> Un poema romántico
>
> **Me gusta la leche,**
> **Me gusta el café,**
> **Pero más me gustan**
> **Los ojos de usted.**

b. For clarity add a + pronoun, noun, or name:

A Juan le gusta el invierno.	*John likes winter.*
A Ud. le gusta la playa.	*You like the beach.*
A los perros no les gustan los gatos.	*Dogs don't like cats.*

ACTIVIDAD A

Buscapalabras. In this puzzle, you will find sixteen parts of the body and five objects seen around the house. The words may be read from left to right, right to left, up or down, or diagonally.

M	I	S	N	Ó	Z	A	R	O	C
E	E	I	P	D	C	S	E	O	S
S	S	I	L	L	A	S	O	F	Á
A	D	T	L	C	B	A	C	O	B
U	E	D	Ó	A	E	O	O	R	D
G	D	B	C	M	Z	N	L	E	I
N	O	J	O	A	A	B	E	J	E
E	N	F	R	R	R	G	P	A	N
L	A	B	I	O	S	A	O	H	T
F	M	Z	Y	O	I	D	A	R	E

ACTIVIDAD ß

After filling in all the letters, look at the vertical box to find today's weather report:

1. _ _ _ _ _ _ _ _

2. _ _ _ _ _

3. _ _ _ _

4. _ _ _ _

5. _ _ _ _ _

6. _ _ _

7. _ _ _ _

8. _ _ _ _ _ _

9. _ _ _ _ _ _ _

10. _ _ _ _

ACTIVIDAD C

Pepe works in a restaurant called **El Bohío** (The Hut). Here's a list of all the foods and drinks served in the restaurant:

agua mineral
arroz con pollo
bistec
café
coctel de frutas
chuletas de puerco (pork chops)
ensalada de lechuga y tomate
hamburguesa con queso
helado de vainilla o de chocolate
huevos fritos con jamón
jugo de naranja o de tomate

leche fría
pollo frito
pudín de pan
rosbif
sardinas
sodas variadas
sopa de pollo
sopa de verduras (vegetable soup)
té
vino

Pepe's boss wants him to make up a proper menu. Can you help him?

Restaurante «El Bohío»
Menú

Sopas y Aperitivos

_____
_____
_____
_____

Postres

_____
_____
_____
_____

Platos Principales

_____
_____
_____
_____
_____
_____

Bebidas

_____
_____
_____
_____
_____
_____

ACTIVIDAD D

You are preparing a meal. The guests will arrive soon. See what's on the table. You may have forgotten a few things. Here's a check list:

		Sí	No
1.	la pimienta	_____	_____
2.	las sardinas	_____	_____
3.	los platos	_____	_____
4.	la sopa	_____	_____
5.	el café	_____	_____
6.	la ensalada	_____	_____
7.	la mostaza	_____	_____
8.	el queso	_____	_____
9.	los vasos	_____	_____
10.	el pollo	_____	_____

		Sí	No
11.	el jamón	_____	_____
12.	la sal	_____	_____
13.	el azúcar	_____	_____
14.	la mantequilla	_____	_____
15.	el pan	_____	_____
16.	el vino	_____	_____
17.	la mayonesa	_____	_____
18.	las frutas frescas	_____	_____
19.	el bistec	_____	_____
20.	las hamburgesas	_____	_____

Make a list of all the items you need.

Necesito _____.

ACTIVIDAD €

Crucigrama

HORIZONTALES

1.	dining room	**14.**	bed	**22.**	soup	**33.**	year
5.	thin	**15.**	eyes	**24.**	I give	**34.**	days
7.	to be	**17.**	of the (masc.)	**25.**	he drinks	**36.**	tall
8.	she sees	**18.**	salt	**28.**	eleven	**38.**	pear
10.	my	**19.**	four	**29.**	to leave, go out	**39.**	I read
12.	I wish	**20.**	contraction	**30.**	to be		

VERTICALES

1.	food, meal	**8.**	you see	**21.**	lips	**32.**	sun
2.	he is	**9.**	glass	**23.**	she	**35.**	to the (masc.)
3.	fingers	**11.**	living room	**26.**	verb ending	**37.**	definite article
4.	ears	**13.**	alone	**27.**	to be		
5.	ugly	**16.**	his	**29.**	soda		
6.	bathroom	**19.**	heat	**31.**	chicken		

ACTIVIDAD F

Which holidays are suggested by the pictures? Which season do they fall in? What's the weather like then?

1. _____

_____

_____

2. _____

_____

_____

3. _____

_____

_____

4. _____

_____

_____

ACTIVIDAD G

Each of the following has a problem. What is it?

1. Josefa _____.

2. Ellos _____.

3. Roberto _____. **4.** El perro _____. **5.** Nosotros _____.

ACTIVIDAD H

Picture Story. Can you read this story? Much of it is in picture form. When you come to a picture, read it as if it were a Spanish word.

Los dicen que el moderno necesita hacer más ejercicio. (La

 moderna también.) Muchas personas no usan las partes de su .

Usan las y los   sólo para , no para trabajar. No usan

las para ir al trabajo. Toman un , el o el

 . Nos gusta  y 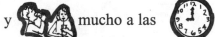 mucho a las de la mañana

o a las de la noche. Vivimos en pequeños y calientes. Los

 y los no corremos en el y no trabajamos en la .

Muchas personas pasan todo el día en un mirando la .

Quinta Parte

17

¿Dónde está?

How to Tell Where Things Are: Common Prepositions

1 Vocabulario

el café

la fábrica

la iglesia

la biblioteca

la oficina

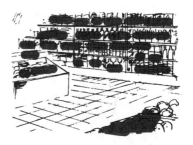

el supermercado

la estación de trenes

la terminal de autobuses

la parada del autobús

el aeropuerto

el banco

el centro comercial

ACTIVIDAD A

These people are all in different places. Where are they?

EXAMPLE: Mario está en el aeropuerto.

1. Los señores Pérez

_____ .

2. Uds.

_____ .

3. El administrador

_____.

4. Tú

_____.

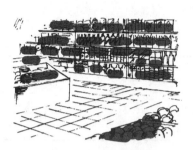

5. Nosotros

_____.

6. Mis amigos

_____.

7. Mi mamá

_____.

8. Las secretarias

_____.

9. Yo

_____.

10. Las muchachas

_____.

ACTIVIDAD ß

What do we do in these places?

EXAMPLE: fábrica / trabajar   **En la fábrica trabajamos.**

1. restaurante / comer

    _____

2. café / beber café

    _____

3. oficina / escribir cartas

    _____

4. estación de trenes / tomar el tren

    _____

5. biblioteca / leer

    _____

6. centro comercial / comprar cosas

    _____

7. aeropuerto / ver aviones

    _____

8. banco / tener dinero

    _____

9. tienda de comestibles / comprar comida

    _____

2

¿Dónde está todo el mundo? (*Where is everybody?*) Read the story and look at the picture. The expressions in bold type are prepositions. They tell you where the people and things are. Can you figure it out?

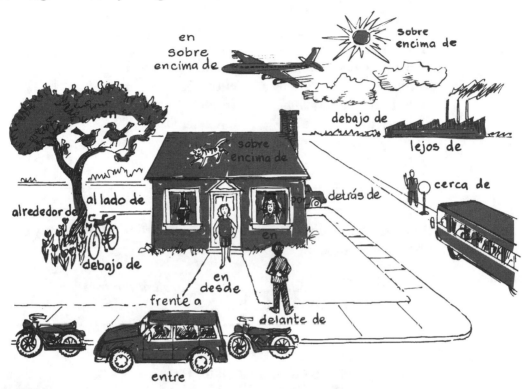

¿Dónde está todo el mundo?

Aquí vemos la calle donde vive la familia Sánchez. Es una calle bonita de casas pequeñas, jardines, árboles y flores. **Al lado de** la casa de los Sánchez hay un árbol grande. **En** el árbol hay dos pájaros. **Alrededor del** árbol hay unas flores. Son rosas rojas. **Debajo del** árbol hay una bicicleta. Es la bicicleta de Lupita, la hija de los Sánchez. Lupita tiene doce años. Su mamá está **en** la casa. Mira **por** la ventana al policía que está **en** la calle, **delante de** la casa. El automóvil del señor Sánchez está **frente** a la casa, **entre** dos motocicletas. **Detrás de** la casa hay otra calle. Otro automóvil pasa **por** esa calle. La parada del autobús está **cerca de** la casa.

En el aire hay un avión. El avión está ahora **sobre** la casa de los Sánchez. El sol está **en** el cielo pero hay también nubes. El sol está **encima de** las nubes. Las nubes están **debajo del** sol.

El señor Sánchez trabaja **en** una fábrica que está **lejos de** la casa.

Lupita está **en** la puerta de la casa y **desde** allí busca a su gato. ¿Sabe Ud. dónde está el animal?

el pájaro *bird*

el cielo *sky*
la nube *cloud*
fábrica *factory*
allí *there*

Did you guess the meanings of the prepositions?

PREPOSITIONS

al lado de *beside*
alrededor de *around*
cerca de *near*
debajo de *below; under*
delante de *in front of*
desde *from*
detrás de *behind*

en *in, on, at*
encima de *above*
entre *between, among*
frente a *opposite, facing*
lejos de *far from*
por *through; by*
sobre *above, on*

Remember: If the preposition **de** comes directly before the article **el**, the two words combine to form the contraction **del**:

alrededor del árbol   *around the tree*
(de + el árbol) = del árbol

ACTIVIDAD C

Answer these questions based on the story you have just read.

1. ¿Dónde está el árbol?

_____

2. ¿Qué hay en el árbol?

_____

3. ¿Dónde está la bicicleta de Lupita?

_____

4. ¿Qué hay alrededor del árbol?

_____

5. ¿Dónde está el sol?

_____

6. ¿Dónde está el policía?

_____

7. ¿Dónde está el automóvil del señor Sánchez?

_____

8. ¿Dónde está la fábrica?

_____

9. ¿Qué hay cerca de la casa?

_____

10. ¿Dónde está el avión ahora?

_____

11. ¿Qué hay detrás de la casa de los Sánchez?

_____

12. ¿Dónde está el gato de Lupita?

_____

Para conversar en clase

1. ¿Dónde está tu cama?
2. ¿Dónde miras la televisión?
3. ¿Dónde están los platos en tu casa?
4. ¿Dónde está un parque?
5. ¿Dónde preparas la tarea?

ACTIVIDAD D

¿Dónde estoy yo?

1. Yo estoy cerca (al lado) de la mesa.

2. Yo estoy _____ la mesa.

3. Yo estoy _____ la mesa.

4. Yo estoy _____ la mesa.

5. Yo estoy _____ la mesa.

6. Yo estoy _____ la mesa.

7. Yo estoy _____ la mesa y la silla.

8. Yo estoy _____ la mesa.

ACTIVIDAD E

Using the prepositions you have learned, tell where the following things are located in your classroom.

EXAMPLE: la pizarra   **La pizarra está delante de la clase.**

1. El profesor / La profesora _____.

2. La puerta _____.

3. Mi escritorio _____.

4. Mi libro de español _____.

5. La ventana _____.

6. Los alumnos _____.

7. La tiza _____.

8. Un(a) amigo(a) _____.

ACTIVIDAD F

¿Dónde está todo el mundo ahora? Here we have the Sánchez house again, but things are a little different now. Can you tell where everything is? Fill in the correct preposition plus article or contraction to complete the sentences.

1. El árbol está _____ casa.
2. Hay un gato _____ árbol.
3. La bicicleta de Lupita está _____ casa.
4. Las flores están _____ ventana.
5. Lupita está _____ casa.
6. Hay un perro _____ parada del autobús.
7. Las nubes están _____ cielo.
8. La madre está _____ casa.
9. El avión está _____ aire _____ casa.
10. El automóvil está _____ árbol.
11. El policía está _____ parada del autobús.
12. Los pájaros están _____ casa.

CONVERSACIÓN

Vocabulario

con frecuencia   *frequently*
tantas   *so many*

DIÁLOGO

Complete this dialog by using expressions you have learned in this chapter.

INFORMACIÓN PERSONAL

a. Answer these questions in complete Spanish sentences.

1. ¿Dónde trabajan tus padres, lejos o cerca de la casa?

_____

2. ¿Qué hay frente a tu casa?

_____

3. ¿Qué hay sobre tu escritorio?

_____

4. ¿Qué hay en las paredes de tu cuarto?

_____

5. ¿Qué hay detrás de tu casa?

_____

b. Tell where the following things are with respect to your home or other landmarks.

1. La escuela _____.

2. La parada del autobús _____.

3. Un centro comercial _____.

4. Una biblioteca pública _____.

5. Un supermercado _____.

PRACTÍCALO

1. Draw a simple map of your block (real or make-believe). Include important places (**el cine, la farmacia, la escuela, un restaurante**, etc.)
2. Working as a class unit, students will draw a map on the board, each student adding one item saying what it is. Students will then describe the complete map using appropriate prepositions.

THE COGNATE CONNECTION

Give the meanings of the following Spanish and English words. Then use each English word in a sentence:

	SPANISH		ENGLISH COGNATE	
1.	vida (life)	_____	vitality (liveliness)	_____
2.	periódico	_____	periodical	_____
3.	todo	_____	total	_____
4.	sol	_____	solar	_____
5.	luna	_____	lunar	_____
6.	vender	_____	vendor	_____
7.	número	_____	enumerate	_____
8.	comprender	_____	incomprehensible	_____
9.	frío	_____	frigid	_____
10.	árbol	_____	arbor	_____

ENGLISH COGNATES USED IN CONTEXT

1. The young children were filled with *vitality* and *enthusiasm*.

2. _____

3. _____

4. _____

5. _____

6. _____

7. _____

8. _____

9. _____

10. _____

List some other English cognates of the Spanish words in this lesson.

CÁPSULA CULTURAL

Signs, Signs, Signs!

When you travel to a foreign country, what is the first thing you notice as you step off the plane? The bewildering and dazzling array of signs. Signs give us a quick look at the language and culture of the country we are visiting.

Many signs use pictures to help deliver their messages. Pictures make it possible to understand the message without knowing all the words on a sign. But if you really want to learn about the everyday life and customs of the people, it's a good idea to understand what the sign is telling you.

Here are some common signs. Try to figure out what they mean.

Comprensión

1. The first thing a visitor to a country notices are _____.

2. A store which is open would have the sign that says _____ in its window. One which is closed would have _____.

3. A tourist looking for a bathroom would want to see the sign saying _____.

4. **Prohibido fumar** means _____.

5. To mail a letter, look for the sign saying _____ or _____.

Investigación

Make a list of all the signs you can find in your neighborhood. Try to find equivalents in Spanish.

VOCABULARIO

WORDS TO EXPRESS LOCATION

al lado de *next to*
allí *there*
alrededor de *around*
cerca de *near*

debajo de *under*
detrás de *behind*
desde *from*
en *on, in, at*

encima de *above*
frente a *across from, facing*
por *through*
sobre *on*

IMPORTANT EXPRESSIONS

con frecuencia *often, frequently*

IMPORTANT WORDS

la biblioteca *library*
el cielo *sky*
la fábrica *factory*

la iglesia *church*
la oficina *office*
el pájaro *bird*

18

Más números

Numbers to 100

1 Vocabulario

veinte dólares

treinta días

cuarenta centavos

cincuenta kilómetros
por hora

sesenta minutos

setenta kilómetros

ochenta años

noventa grados

cien libras

Here are the numbers from 1 to 100, counting by tens. Repeat them aloud after your teacher:

10 diez	**60 sesenta**
20 veinte	**70 setenta**
30 treinta	**80 ochenta**
40 cuarenta	**90 noventa**
50 cincuenta	**100 cien** (**ciento** before another number)

Note: 104 = **ciento cuatro**

Tengo cien dólares.   **Tengo ciento cincuenta dólares.**

Now look at these numbers:

34 treinta y cuatro	**79 setenta y nueve**
46 cuarenta y seis	**81 ochenta y uno**
58 cincuenta y ocho	**93 noventa y tres**
62 sesenta y dos	

*Note: With divisions of 20, it is more common to write the number as one word:

veintiuno	**(veinte y uno)**
veintidós	**(veinte y dos)**
veintitrés	**(veinte y tres)**

As you can see, it's fairly simple to form numbers in Spanish. Memorize the numbers from 30 to 90 by tens, then add the word **y** (and) plus the number from 1 to 9.

ACTIVIDAD A

Read the following numbers and give the correct numeral.

EXAMPLE: diecisiete 17

1. veinticinco _____
2. noventa y ocho _____
3. ochenta y tres _____
4. cuarenta y dos _____
5. cincuenta y uno _____
6. treinta y cuatro _____
7. sesenta y seis _____
8. quince _____
9. setenta y nueve _____
10. dieciocho _____

ACTIVIDAD β

Match the Spanish numbers with the numerals.

1.	setenta y seis	_____	**6.**	ochenta y ocho	_____	13
						67
2.	treinta y tres	_____	**7.**	once	_____	76
						88
3.	sesenta y siete	_____	**8.**	cuarenta y cinco	_____	91
						52
4.	trece	_____	**9.**	cincuenta y dos	_____	45
						33
5.	cien	_____	**10.**	noventa y uno	_____	100
						11

ACTIVIDAD C

Arrange the following list of numbers so that they are in order, the smallest first, the largest last.

ochenta y ocho   **treinta y tres**
treinta y ocho   **cincuenta y cuatro**
noventa y nueve   **ochenta y nueve**
cuarenta y cuatro **setenta y cinco**
sesenta y siete   **cien**

1. _____   **6.** _____

2. _____   **7.** _____

3. _____   **8.** _____

4. _____   **9.** _____

5. _____   **10.** _____

ACTIVIDAD D

As you have probably noticed, certain numbers look like others. They almost come in little families. Give the Spanish words for the numbers in each group.

1. 1 _____   **2.** 2 _____
    11 _____   12 _____

3. 3 _____
    13 _____
    30 _____

4. 4 _____
    14 _____
    40 _____

5. 5 _____
    15 _____
    50 _____

6. 6 _____
    16 _____
    60 _____

7. 7 _____
    17 _____
    70 _____

8. 8 _____
    18 _____
    80 _____

9. 9 _____
    19 _____
    90 _____

ACTIVIDAD E

Arithmetic in Spanish. Can you solve these problems?

1. Add:

veinte	cuarenta	ochenta
+ treinta	+ sesenta	+ diez

_____   _____   _____

2. Subtract:

quince	doce	catorce
− cinco	− once	− uno

_____   _____   _____

3. Multiply:

cinco	once	treinta
× cuatro	× ocho	× tres

_____   _____   _____

4. Divide:

ochenta	dieciséis	veinticinco
cuatro	dos	cinco

_____   _____   _____

Here's a conversation that was heard at an auction. Auctions can be fun, but be careful!

¿Quién da más?

PERSONAJES: vendedor, primer comprador, segundo comprador, Pedro, Ángela, Matilde, (la amiga de Ángela)

el vendedor *seller*
el comprador *buyer*

VENDEDOR: Y ahora, señoras y señores, una oportunidad excepcional: el famoso cuadro del célebre artista Juan Malí, «El perro que come queso en cama».

célebre *famous*

TODO EL MUNDO: ¡Aaaah!

PEDRO: ¡Es horrible!

ÁNGELA: ¡Es monstruoso!

VENDEDOR: Es una oportunidad maravillosa. ¿Quién da cincuenta dólares?

PRIMER COMPRADOR: Cincuenta dólares.

SEGUNDO COMPRADOR: Sesenta dólares.

PEDRO: ¡Están locos!

ÁNGELA: Yo no pago cinco centavos por el cuadro.

PEDRO: No es un cuadro. Es una basura.

la basura *garbage*

PRIMER COMPRADOR: Setenta dólares.

SEGUNDO COMPRADOR: Ochenta dólares.

PRIMER COMPRADOR: Noventa dólares.

VENDEDOR: Noventa a la una ... Noventa a las dos ... ¿Quién da más? ¿No ofrecen cien dólares?

a la una *going once*
　a las dos *going twice*

(Entonce entra Matilde.)

MATILDE: ¡Ángela, Ángela ... Hola!

(Ángela levanta la mano para saludar a su amiga.)

levantar *to raise*
saludar *to greet*

VENDEDOR: Cien dólares a la una. Cien dólares a las dos... ¡Vendido a la señora de la blusa blanca! ¡Vendido en cien dólares!

vendido en *sold for*

ACTIVIDAD F

Answer the questions based on the story you have just read.

1. ¿Quién es el autor del cuadro?

   _____

2. ¿Cuál es el título del cuadro?

   _____

3. ¿Cuál es la opinión de Ángela y de Pedro sobre el cuadro?

   _____

4. ¿Cuántas personas desean el cuadro?

   _____

5. ¿Cuánto dinero paga Ángela por el cuadro?

   _____

6. ¿Cómo se llama la amiga de Ángela?

   _____

7. ¿Por qué levanta Ángela la mano?

   _____

8. ¿Desea Ángela comprar el cuadro?

   _____

Para conversar en clase

Ask a fellow student the following questions. Take turns asking and answering.

1. ¿Cuánto cuesta comer en McDonalds?

2. ¿Cuánto dinero necesitas por semana para vivir bien?

3. ¿Cuánto pagas para ir a un concierto de rock?

4. ¿Cuánto cuesta un ticket para ver el béisbol profesional?

5. ¿Cuánto cuesta un ticket para el cine?

CONVERSACIÓN

DIÁLOGO

Complete this dialog with suitable expressions.

INFORMACIÓN PERSONAL

1. ¿Cuántos alumnos hay en tu clase de español?

   _____

2. ¿Cuántas personas hay en tu familia?

   _____

3. ¿Cuántos discos compactos tienes?

   _____

4. ¿Cuántos amigos tienes?

   _____

5. ¿Cuánto cuesta el periódico que leen en tu casa?

   _____

Complete the following information about yourself in Spanish. Write out all the numbers.

1. Tengo _____ años.

2. En mi familia hay _____ personas.

3. Mis padres me dan _____ dólares por semana.

4. El número de mi casa es el _____.

5. Mi número de teléfono es _____.

6. Mi nota (grade) en el último examen de español: _____.

7. En mi escuela hay _____ profesores.

8. El día de mi cumpleaños es el _____ de _____.

THE COGNATE CONNECTION

Give the meanings of the following Spanish and English words. Then use each English word in a sentence:

	SPANISH		ENGLISH COGNATE	
1.	alto (tall) _____		altitude (height) _____	
2.	calor _____		calorie _____	
3.	esposo _____		spouse _____	
4.	sala _____		salon _____	
5.	tarde _____		tardy _____	
6.	tiempo _____		temporary _____	
7.	caballo _____		cavalry _____	
8.	vaso _____		vase _____	
9.	cuerpo _____		corpse _____	
10.	creer _____		credible _____	

ENGLISH COGNATES USED IN CONTEXT

1. The plane reached an *altitude* of 30,000 feet.

2. _____

3. _____

4. _____

5. _____

6. _____

7. _____

8. _____

9. _____

10. _____

List some other English cognates of the Spanish words in this lesson.

PRACTÍCALO

Now you're able to tell a lot about yourself, your family, your house, your school, and your neighborhood. Prepare an oral report. Include your name, address, age, how many brothers and sisters you have, and so on. Refer also to your physical environment (house, school, etc.) using complete Spanish sentences.

CÁPSULA CULTURAL

Different Systems

If you stepped on a scale in Spain or in most countries of Latin America, you would probably get the shock of your life. Supposing you weigh 110 pounds, the scale would register only 50. You haven't lost weight. You are just using another system—the metric system—and you are being weighed in **kilos**. Each **kilo** is approximately 2.2 pounds.

When you enter a clothing store, just the opposite happens. A size 9 shoe, for example, would be a 40; a pair of men's trousers with a 39-inch waist would be an 86. Your size is being measured in **centímetros**.

If you don't feel well, and the doctor tells you that your temperature is 37 degrees, you're not dead. He's just getting a reading in **centígrados**. A normal temperature in **centígrados** is 37°degrees. That's equivalent to 98.6° Fahrenheit.

Here is a table of common temperatures, comparing the two systems:

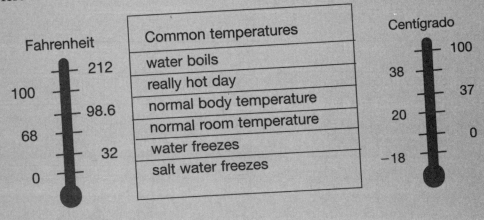

	Common temperatures	
	water boils	
	really hot day	
	normal body temperature	
	normal room temperature	
	water freezes	
	salt water freezes	

Fahrenheit: 212, 100, 98.6, 68, 32, 0

Centígrado: 100, 38, 37, 20, 0, −18

Comprensión

1. A kilo is approximately _____ pounds. If you wanted about a pound of something in the grocery, you would order _____ a kilo.

2. In most countries of the world the _____ system is used.

3. To measure clothing in the metric system, _____ are used.

4. In Spain, temperature is measured in _____.

5. If the thermometer reads 39 degrees C, it's really _____ weather.

6. You would want a temperature in your hotel room of about _____ in **Centígrados**.

Investigación

Compare the metric system with our own. Prepare tables measuring weight (**kilos, gramos, litros**), length (**metros, kilómetros**), temperature (**grados**). Measure and weigh common objects (desk, pencil, room, etc.) and give their equivalents metrically.

VOCABULARIO

NUMBERS

diez *ten*	**ochenta** *eighty*
veinte *twenty*	**noventa** *ninety*
treinta *thirty*	**cien** *a hundred*
cuarenta *forty*	**sesenta y cinco** *fifty-five*
cincuenta *fifty*	**setenta y uno** *seventy-one*
sesenta *sixty*	**ciento veinte** *one hundred*
setenta *seventy*	*and twenty*

IMPORTANT WORDS

comprador *buyer*
¿Cuántos(-as)? *How many?*
saludar *to greet*
vendedor *seller*
vender *to sell*

IMPORTANT EXPRESSIONS

¿Cuánto cuesta? *How much?*

19

Las diversiones

*How to Go Places in Spanish; the Verb **ir***

1 Vocabulario

Can you guess the meanings of these words?

el cine

el teatro

el concierto

la discoteca

el estadio

la fiesta

el parque zoológico

el circo

la playa

la piscina

el museo

el parque de atracciones

ACTIVIDAD A

Where would you go to do the following things? Match the places with the activities:

1.	escuchar música	_____	**a.** la discoteca
2.	ver animales salvajes	_____	**b.** la fiesta
3.	ver una comedia	_____	**c.** la playa
4.	ver un partido de fútbol	_____	**d.** el circo
5.	bailar	_____	**e.** el cine
6.	cantar	_____	**f.** el estadio
7.	ver acróbatas	_____	**g.** el parque zoológico
8.	tomar el sol	_____	**h.** el concierto

2

In the letter that follows are all the forms of the irregular Spanish verb **ir** (*to go*). See if you can find them:

Acapulco, 20 de junio

Queridos mamá y papá:

Estoy en un fabuloso hotel en Acapulco. Hoy tengo tiempo, y **voy** a describir mis planes. Julia y yo **vamos** a la playa todos los días. Por la tarde ella **va** a visitar a unos amigos mexicanos. Ellos tienen una hija de nuestra edad—Carmen. Ella **va** a ser nuestra guía y nosotras **vamos** a visitar todas las playas interesantes alrededor de Acapulco. ¿Y ustedes, **van** a pasar sus vacaciones en España?
    ¿**Van** Uds. a una playa también? Quiero recibir su carta pronto.

Besos,
Margarita.

P.D. Aquí todo cuesta mucho. La tarjeta de crédito no tiene más crédito.

---

la edad *age*   **pasar** *to spend (time)*   **P.D.** *PS*   **tarjeta** *card*
el/la guía *guide*   **el beso** *kiss*   **cuesta** *it costs*

ACTIVIDAD ß

Answer the following questions:

1. ¿Dónde está Margarita?

   _____

2. ¿Adónde va ella todos los días?

   _____

3. ¿Quién va a ser la guía de Margarita?

   _____

4. ¿Qué van a visitar ellas?

   _____

5.   ¿Qué quiere recibir Margarita de sus padres?

_____

3

The verb **ir** is important and also irregular. Repeat the forms of **ir** and memorize them:

yo	**voy**	_I go_
tú	**vas**	_you go_ (familiar)
Ud.	**va**	_you go_ (formal)
él }	**va**	_he goes_
ella }		_she goes_
nosotros }	**vamos**	_we go_
nosotras }		
Uds.	**van**	_you go_ (plural)
ellos }	**van**	_they go_
ellas }		

ACTIVIDAD C

Here are some places for you to go on weekends. Where would you go?

 EXAMPLE: El fin de semana voy al cine.

1. _____   **2.** _____

3. _____

4. _____

5. _____

6. _____

ACTIVIDAD D

Your Costa Rican pen pal is visiting you. Where would the two of you go?

EXAMPLE: Vamos al cine.

1. _____

2. _____

3. _____

4. _____

5. _____

6. _____

ACTIVIDAD E

You are talking with some friend about places to go. Complete the sentences with the correct forms of **ir**.

1. Tú _____ al cine con tus hermanos.

2. Nosotros _____ a la fiesta de Carlos.

3. ¿_____ tú a la fiesta también?

4. Mis padres _____ a Chile en junio.

5. ¿_____ Uds. al aeropuerto el sábado?

6. Carmen _____ al banco porque necesita dinero.

7. Ellos no _____ a la escuela hoy porque _____ al médico.

8. Jorge y Enrique _____ al partido de fútbol.

9. ¿_____ Ud. también?

10. Jaime _____ a la playa todos los domingos.

11. Mis hermanitos _____ al circo con mi mamá.

12. La familia Rosas _____ a Puerto Rico este verano.

ACTIVIDAD F

Answer these questions in complete sentences.

1. ¿Con quién vas a la piscina?

_____

2. ¿Adónde van tus padres en las vacaciones?

_____

3. ¿Cuándo van Uds. al cine?

_____

4. ¿En tu familia, quién va al supermercado a comprar comida?

_____

5. ¿Cuándo vas a la playa, en el invierno o en el verano?

_____

6. ¿Por qué van Uds. al parque zoológico?

_____

7. ¿Adónde van tus amigos el sabádo?

_____

8. ¿Tienes hermanos que van a la universidad?

_____

There are many ways to go places in Spanish. Here are some of them:

ir a pie	*to walk, to go on foot*
ir en bicicleta	*to go by bicycle*
ir en coche	*to go by car, to drive*
ir en automóvil	
ir en autobús	*to go by bus*
ir en metro	*to go by subway*
ir en tren	*to go by train*
ir en taxi	*to go by taxi*
ir en avión	*to go by plane*

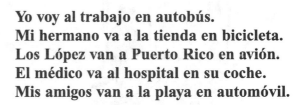

ACTIVIDAD G

Match the sentences with the correct pictures.

María va a la escuela a pie.
Mis abuelos van a Miami en tren.
Pepe y Marta van al cine en taxi.
Nosotros vamos a la fiesta en metro.
Mis padres van al banco a pie.

Yo voy al trabajo en autobús.
Mi hermano va a la tienda en bicicleta.
Los López van a Puerto Rico en avión.
El médico va al hospital en su coche.
Mis amigos van a la playa en automóvil.

1. _____

2. _____

3. _____

4. _____

5. _____

6. _____

7. _____

8. _____

9. _____

10. _____

5

As you have seen, **ir** is a very important verb. Here's another reason for its importance: just as in English, it can be used with an infinitive to express what is going to happen in the future:

Ellos van a comprar un automóvil. *They are going to buy a car.*
¿Vas a comer en un restaurante esta noche? *Are you going to eat in a restaurant tonight?*

Vamos a hablar con el profesor después de la clase. *We are going to talk to the teacher after class.*

NOTE: **¡Vamos!** by itself means *Let's go!*

ACTIVIDAD H

You and your friends are making plans for tomorrow. What are you going to do? Complete the sentences with the correct forms of **ir a**.

EXAMPLE: Vamos a comer en un restaurante.

1. Carlos y María _____.

2. Yo _____.

3. Uds. _____.

4. Tú _____.

5. Carmen _____.

6. Nosotros _____.

ACTIVIDAD I

You are writing to a Peruvian friend about your family's plans for next summer. Express the following in Spanish.

1. My sister is going to work in an office.

_____

2. My parents are going to go to the beach.

_____

3. I am going to visit my grandparents.

_____

4. My uncle is going to study in Spain.

_____

5.   We are going to buy a dog and a cat.

_____

6.   What are you going to do?

_____

Now you are ready to read this story about a family's plans to go to Puerto Rico for the holidays:

De vacaciones

Lugar: La agencia de viajes «Solimar»

Personajes: Francisco Cabral
Marta Cabral, su esposa
Margarita, una hija de 12 años
Susanita, una hija de 6 años
el empleado de la agencia «Solimar»

la agencia de viajes
travel agency

la esposa _wife_

el empleado _employee_

EMPLEADO: ¡Ah, qué bien! El señor Cabral y su amable familia. ¿Cómo están Uds.?

TODOS: Bien, gracias.

SR. CABRAL: Tengo dos semanas de vacaciones, y mi esposa desea **ir** a una isla tropical.

SRA. CABRAL: Sí, un lugar romántico, con palmeras, flores tropicales y brisas del mar.

EMPLEADO: Bueno, ¿por qué no **van** Uds. a Puerto Rico? Es una isla tropical. San Juan, la capital, es una ciudad grande y allí **van** a ver muchas cosas interesantes.

la isla _island_

el lugar _place_
la palmera _palm tree_
la brisa _breeze_
el mar _sea_
la cosa _thing_

SR. CABRAL: Es una buena idea. Puerto Rico tiene hoteles excelentes y muchos hoteles están en la playa.

EMPLEADO: Sí. Y Puerto Rico no está lejos de los Estados Unidos. Si Uds. **van** en avión, llegan en tres horas y media.

MARGARITA: Yo **voy** a comprar mucha ropa allí. También **voy** a comprar discos de música puertorriqueña.

la ropa _clothing_

SUSANITA: Y yo **voy** a comer la comida típica: tacos y enchiladas.

MARGARITA: ¿Tacos y enchiladas, la comida típica de Puerto Rico? Tú no sabes mucho, chica. ¡Uf! ¡Qué ignorancia! **Vamos** a Puerto Rico, no a México.

la chica _girl, "kid"_

ACTIVIDAD J

Complete the sentences based on the story.

1. «Solimar» es una _____.

2. Marta es la _____ de Francisco.

3. Susanita y Margarita son _____.

4. El señor Cabral tiene dos semanas de _____.

5. La señora de Cabral desea ir a _____.

6. La _____ es un árbol tropical.

7. La capital de Puerto Rico es _____.

8. Muchos hoteles de Puerto Rico están en _____.

9. Puerto Rico no está _____ los Estados Unidos.

10. La familia va en _____.

11. Margarita va a comprar discos de _____.

12. Los tacos y las enchiladas son comidas típicas de _____.

DIVIÉRTETE

Work with a partner. One student acts as travel agent and asks 4 or 5 questions concerning travel plans.

EXAMPLE: ¿Adónde quiere ir?
            —A la República Dominicana.
            ¿Cuándo va a viajar?
            —El jueves.

CONVERSACIÓN

Vocabulario

    zona del Caribe *Caribbean area*
    el Caribe *Caribbean Sea*
    recomienda *recommend*

DIÁLOGO

You are the second person in the dialog. Complete it with expressions you have learned in this lesson.

INFORMACIÓN PERSONAL

1. ¿Adónde vas a celebrar tu cumpleaños?

    _____

2. ¿Adónde vas con tus amigos el sábado por la noche?

    _____

3. ¿Cuándo vas al cine?

    _____

4. ¿Adónde vas a ir el verano próximo?

    _____

5. ¿Adónde vas cuando sales de la escuela?

    _____

PRACTÍCALO

1. **¿Adónde vas durante** (*during*) **la semana?** Write five sentences to tell about different places you go to:

    EXAMPLE: El sábado voy al cine con mis amigos.

    1. _____

    2. _____

    3. _____

    4. _____

    5. _____

2. You're writing a letter in Spanish to a visiting student from Guatemala and you want to tell him / her about "diversiones" in your city or town. You may illustrate your letter with photographs or drawings. Be as elaborate as you can in designing a little brochure about entertainment in your area.

THE COGNATE CONNECTION

Write the meanings of the following Spanish and English words. Then use each English word in a sentence:

	SPANISH		ENGLISH COGNATE	
1.	amigo (friend)		amicable (friendly)	
2.	ascensor	_____	to ascend	_____
3.	café	_____	cafeteria	_____
4.	fuerte	_____	fortification	_____
5.	doce	_____	dozen	_____
6.	pronto	_____	prompt	_____
7.	puerta	_____	port	_____
8.	cuarto	_____	quarters	_____
9.	ojo	_____	oculist	_____
10.	viento	_____	ventilation	_____

ENGLISH COGNATES USED IN CONTEXT

1. The two countries did not always enjoy *amicable* relations.

2. _____

3. _____

4. _____

5. _____

6. _____

7. _____

8. _____

9. _____

10. _____

List some other English cognates of the Spanish words in this lesson.

CÁPSULA CULTURAL

Montezuma's Gift

Everyone loves chocolate. Some people can't seem to get enough of it. They're called "chocoholics." But did you ever wonder how this marvelous food came to be?

Chocolate is made from the beans or seeds of the cocoa plant, which is native to South America. In the sixteenth century, the **conquistador** (*conqueror*) of Mexico, Hernán Cortés, saw how Montezuma, the Aztec emperor, drank a beverage called xocoatl, prepared from cocoa beans. This liquid was considered so precious that it was drunk from gold cups. In fact, the cocoa beans themselves were used by the Aztecs as a form of money.

Natural cocoa had a bitter taste, but the Spaniards added water and sugar to make hot chocolate. Soon this beverage became the favorite drink of the Spanish noble class.

At first chocolate was looked upon as a medication and nutritional food. **"Una sola taza permite caminar un día"** (*A single cup allows one to walk for an entire day*), said Cortés.

From Mexico, chocolate soon spread throughout the Americas and the world. In the nineteenth century, chocolate as we know it came into being when a British company created a solid eating chocolate.

Today it is hard to imagine a place on earth where people do not know of this popular food. In the United States, we consume over ten pounds of chocolate per person each year!

Comprensión

1. Chocolate is made from _____.

2. The name of the beverage drunk by the Aztec emperor was _____.

3. _____ were used by the Aztecs as a form of money.

4. Chocolate was considered at first _____.

5. Solid eating chocolate was created in _____.

Investigación

What are some of the foods brought to the New World by the Spaniards? In addition to chocolate, what are some native foods brought to Spain from the New World?

VOCABULARIO

GOING OUT

el cine *movies*
el concierto *concert*
la discoteca *disco*
el parque de atracciones *amusement park*
la piscina *swimming pool*
la playa *beach*
el teatro *theater*

IMPORTANT WORDS

la cosa *thing*
las diversiones *entertainment, amusements*
la isla *island*
el lugar *place*
el mar *sea*

IMPORTANT EXPRESSIONS

ir a pie *to walk, to go by foot*
ir en autobús *to go by bus*
ir en coche *to go by car*

ir en tren *to go by train*
vamos a... *we are going to ... let's*

20

▽▽▽▽▽▽▽▽

fiesta

Stem changing verbs; **pensar** *and* **poder**

1 Vocabulario

el globo

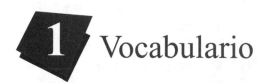

la reunión

el regalo

el baile

los chicos

el cumpleaños

la piñata   **la orquesta**   **el disco compacto**

la serpentina   **los refrescos**   **la invitación**

2

Do you remember the irregular verb **querer**? What happened when we used it in its various forms?

I want   **yo quiero**
you want **tú quieres**

The first **e** of **querer** changed to **ie** in all forms except **nosotros (queremos)**. But **querer** is not the only verb that changes this way. There are many others, including the very important verb **pensar** (*to think, to believe*).

Juan piensa que el examen es fácil.
Juan thinks that the test is easy.

Now it's your turn. Complete the following with the verb **pensar**.

Mis padres _____ que yo trabajo poco.

Yo _____ que María es bonita.

Note: **pensar en** means *to think about* someone or something.

        Yo pienso en mis amigos. *I'm thinking about my friends.*

pensar de means *to have an opinion* about someone or something.

        ¿Qué piensas de mi automóvil? *What do you think about (of) my car?*

pensar + infinitive means *to intend* doing something.

        Pensamos ir a México. *We intend to go to Mexico. (We're thinking of going to Mexico).*

ACTIVIDAD A

Complete the following sentences with the correct form of **pensar**.

1. Yo _____ que el examen de español es mañana.

2. Mi padre _____ trabajar en el hospital.

3. Juan y Lupe _____ ir a casa.

4. ¿ _____ tú comer ahora?

5. La señorita Guzmán _____ siempre en los estudiantes.

6. Tú y yo _____ visitar Madrid.

7. ¿Qué _____ ustedes de la universidad?

8. Yo no _____ caminar en el parque.

9. El médico _____ que la ambulancia está aquí.

10. ¿Adónde _____ ustedes viajar en el verano?

3   Another useful stem-changing verb is **poder** (*to be able, can*). Look at the following sentences:

        Yo no puedo estudiar hoy. *I can't study today.*
        ¿Puedes escribir la tarea ahora? *Can you write the homework now?*

What happened to the **o** of the stem? Like the **e** of **pensar** changes to **ie**, the **o** of **poder** changes to **ue**.

Complete the following with the verb **poder**.

¿Qué _____ Ud. comprar por un dólar?
Nosotros _____ ir a la playa mañana.

Here is a summary of the two new verbs that we've learned.

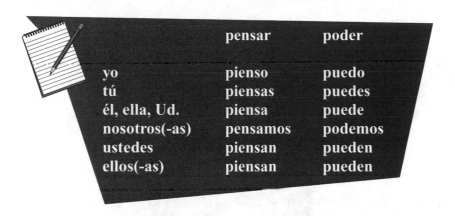

	pensar	poder
yo	pienso	puedo
tú	piensas	puedes
él, ella, Ud.	piensa	puede
nosotros(-as)	pensamos	podemos
ustedes	piensan	pueden
ellos(-as)	piensan	pueden

ACTIVIDAD ß

Complete with the correct form of the verb in parentheses.

1. (pensar) Yo _____ que esa muchacha es bonita.

2. (poder) Nosotros no _____ hablar inglés en clase.

3. (poder) ¿_____ tú ir a la fiesta?

4. (pensar) ¿Qué _____ ustedes hacer mañana?

5. (poder) Mis hermanas _____ ir al cine el sábado.

ACTIVIDAD C

Answer the following questions using complete Spanish sentences.

1. ¿Qué puedes comprar en un restaurante?

   _____

2. ¿Adónde piensas ir en tus vacaciones?

   _____

3. ¿Cuándo puedes ir al cine?

_____

4. ¿Piensas que la televisión es interesante?

_____

5. ¿Por qué no podemos ir a la playa en el invierno?

_____

La fiesta sorpresa
comedia en un acto

Cuándo: El sábado por la noche

Lugar: Una mesa en un café
en la Ciudad de México

Personajes: Un grupo de
adolescentes comiendo helados
y tomando refrescos

adolescente _teenager_

MARILUZ: Estoy aburrida. ¿Qué
podemos hacer?

FRANCO: No sé. Nunca hacemos
nada. ¡Qué vida!

GILBERTO: ¿Dónde está Martín?

ELENA: Está en casa, como
siempre. ¡Pobre muchacho!
Nunca sale.

GUSTAVO: ¡Pobrecito! Tiene una vida tan aburrida... ¿Y saben que este
viernes es su cumpleaños?

tan _so_

MARILUZ: ¿Oh, sí? Tengo una gran idea. Vamos a tener una fiesta de
cumpleaños para él. ¿Qué **piensan**?

TODOS: ¡Estupendo! ¡Fantástica idea! ¡Fenomenal!

ELENA: **Podemos** usar el sótano de mi casa. **Puedo** preparar la comida
y decorar el cuarto con globos, serpentinas y una piñata. Y discos,
naturalmente.

sótano _basement_
cuarto _room_

GILBERTO: ¿Por qué no música en vivo? **Podemos** formar una pequeña
orquesta.

MARILUZ: De acuerdo. Pero antes de enviar las invitaciones y comprar
regalos, voy a llamar a Martín para ver si hay un problema.

De acuerdo. _OK._
Oye. _Listen._

MARILUZ (por teléfono): Oye Martín, este viernes tenemos una reunión
de unos amigos en mi casa. ¿**Puedes** venir?

MARTÍN: ¿Este viernes? ¡De ninguna manera! Es mi cumpleaños y tengo
una invitación para pasar todo el fin de semana en la playa de Cancún,
nadando, esquiando sobre agua y tomando el sol. ¡Tú y tus amigos
llevan una vida tan aburrida!

de ninguna manera
no way

ACTIVIDAD D

Answer these sentences about the story in complete Spanish sentences.

1. ¿Dónde está el café?

   _____

2. ¿Cuántos chicos están allí?

   _____

3. ¿Qué piensan de su vida?

   _____

4. ¿Qué vida tiene Martín?

   _____

5. ¿Cuándo es el cumpleaños de Martín?

   _____

6. ¿Cuál es la idea de Mariluz?

   _____

7. ¿Dónde pueden tener la fiesta?

   _____

8. ¿Qué va a hacer Elena?

   _____

9. ¿Adónde va Martín para su cumpleaños? ¿Qué va a hacer?

   _____

10. ¿Qué piensa Martín de la vida de Mariluz y sus amigos?

    _____

Para conversar en clase

Choose a partner and role play a couple shopping for a house party. Talk about what you need, what you think about the products, etc.

CONVERSACIÓN

Vocabulario
   traer *to bring*

DIÁLOGO

Complete the following dialog.

INFORMACIÓN PERSONAL

1. ¿Qué piensas hacer el domingo?

   _____

2. ¿Qué pueden hacer tú y tus amigos en el parque?

   _____

3. ¿Dónde pueden Uds. comprar la comida?

   _____

4. ¿Qué piensas comer hoy por la noche?

   _____

5. ¿Qué programa de televisión quieres ver hoy?

   _____

PRACTÍCALO

You're going to have a surprise party for your best friend. Make a list in Spanish of all the things you will need. Prepare invitations in Spanish.

CÁPSULA CULTURAL

Land of the Fiesta

Do you like parties? Then, Spain is the place where you want to be. Somewhere in Spain, every day of the year, there is a fiesta. There are fifteen national holidays plus hundreds of local festivals. Each town and village has a patron saint, and on that saint's feast day, the people hold a fiesta.

Some fiestas, like **San Fermín** in Pamplona and **Las Fallas** in Valencia are world-famous. They are spectacles that attract hundreds of thousands of visitors each year.

The **San Fermín** festival takes place in July, in Pamplona, and lasts for eight days. Every morning bulls, released into the street, charge through the town, with natives and tourists racing in front of them, risking their lives, just for the thrill of it.

The festival of **Las Fallas** is not as dangerous, but certainly as spectacular. It originated in the Middle Ages when the carpenters of Valencia burned excess wood shavings to honor their patron, San José. Later, some carpenters built and burned wooden statues or effigies. Today, huge papier-mâché figures, taking months to construct and costing the city over three million dollars, are set ablaze at midnight on March 19, with thousands looking on.

In addition to the traditional festivals, new ones are being invented. Buñol, a town which banned bullfights because of their cruelty, holds an annual festival called **La Tomatina**. On the last Wednesday of every August, six large trucks filled with over one hundred tons of ripe tomatoes dump their contents in the village square. At that point, the exuberant crowds of upwards of 20,000 people, grab tomatoes and pelt one another for an hour, turning the village square of Buñol red from the giant food fight.

After the fight, everyone pitches in to clean up the streets and buildings and go home for a tasty meal which includes (naturally) tomato salad.

Sound like fun? Millions of tourists think so. Over five billion dollars is generated each year by tourists who come to let their hair down at a Spanish fiesta.

Comprensión

1. Each town and village in Spain has a particular fiesta in honor of
   _____.

2. In the **San Fermín** festival, in Pamplona, natives and tourists _____.

3. The festival of **Las Fallas** takes place in the city of _____.

4. In the relatively new festival called **La Tomatina**, thousands of people
   _____.

5. Spain generates over five billion dollars through _____.

Investigación

What are the fifteen national holidays in Spain? What do they commemorate? Which ones are the same as our public holidays? Which ones are different?

VOCABULARIO

PARTY

el chico *youngster*
el cumpleaños *birthday*
el disco compacto *compact disc*
la fiesta *party*
el globo *balloon*
el helado *ice cream*
la invitación *invitation*

la orquesta *band*
la piñata *piñata*
el refresco *refreshment, soda*
el regalo *present*
la reunión *reunion*
la serpentina *paper streamer*
la sorpresa *surprise*

IMPORTANT VERBS

pensar *to think*
poder *to be able, can*
traer *to bring*

IMPORTANT EXPRESSIONS

de ninguna manera *no way*
pensar de... *to think of (to have
an opinion about)*
pensar en... *to think about...*
pensar + infinitive *to intend*

Repaso V
(Lecciones 17-20)

Lección 17

Common Spanish prepositions and phrases with prepositions.

al lado de *beside*
alrededor de *around*
cerca de *near*
debajo de *below, under*
delante de *in front of*
desde *from*
detrás de *behind*

en *in, on, at*
encima de *above*
entre *between, among*
frente a *opposite, facing*
lejos de *far from*
por *through, by*
sobre *above, on*

Lección 18

Numbers 40 to 100.

40	**cuarenta**	50	**cincuenta**
41	**cuarenta y uno**	60	**sesenta**
42	**cuarenta y dos**	70	**setenta**
43	**cuarenta y tres**	80	**ochenta**
44	**cuarenta y cuatro**	90	**noventa**
45	**cuarenta y cinco**	100	**cien** (**ciento** when combined
46	**cuarenta y seis**		with another number)
47	**cuarenta y siete**		
48	**cuarenta y ocho**		
49	**cuarenta y nueve**		

Lección 19

The irregular verb **ir** (to go).

yo	**voy**	**nosotros**	} **vamos**
tú	**vas**	**nosotras**	
Ud.	**va**	**Uds.**	**van**
él } **va**		**ellos** } **van**	
ella		**ellas**	

Lección 20

The irregular verbs **querer** and **poder**.

	pensar	poder
yo	pienso	puedo
tú	piensas	puedes
él, ella, Ud.	piensa	puede
nosotros(-as)	pensamos	podemos
ustedes	piensan	pueden
ellos(-as)	piensan	pueden

ACTIVIDAD A

Buscapalabras. In this puzzle you will find 14 prepositions. Circle them from right to left, left to right, up or down. Then write the words in the spaces provided.

A	L	R	E	D	E	D	O	R
L	E	E	N	E	T	E	N	O
P	J	T	C	B	N	T	C	P
L	O	N	I	A	A	R	E	D
A	S	E	M	J	L	A	R	E
D	I	R	A	O	E	S	C	S
O	Q	F	T	E	D	L	A	D
S	O	B	R	E	N	T	R	E

_____   _____

_____   _____

_____   _____

_____   _____

_____   _____

_____   _____

ACTIVIDAD β

Crucigrama de la fiesta.

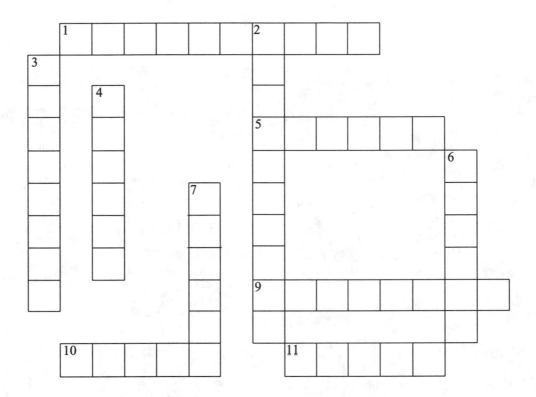

HORIZONTALES

VERTICALES

1.

2.

5.

3.

9.

4.

10.

6.

11.

7.

ACTIVIDAD C

Every morning, Pedro leaves his house and walks to school, taking the shortest route. On his way, he passes many places. Figure out the shortest way to school and list the places he passes.

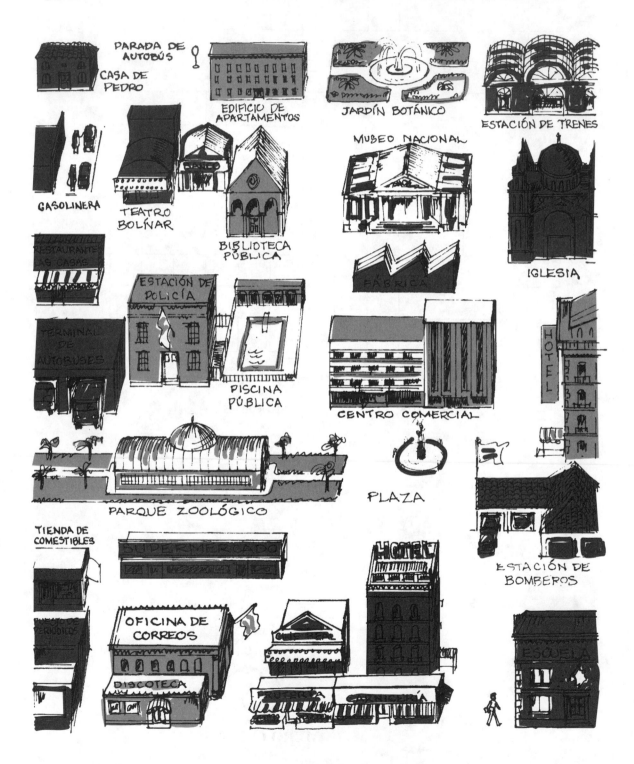

PARADA DE AUTOBÚS

CASA DE PEDRO

EDIFICIO DE APARTAMENTOS

JARDÍN BOTÁNICO

ESTACIÓN DE TRENES

GASOLINERA

TEATRO BOLÍVAR

BIBLIOTECA PÚBLICA

MUSEO NACIONAL

FÁBRICA

IGLESIA

RESTAURANTE LAS CASAS

ESTACIÓN DE POLICÍA

TERMINAL DE AUTOBUSES

PISCINA PÚBLICA

CENTRO COMERCIAL

HOTEL

PARQUE ZOOLÓGICO

PLAZA

ESTACIÓN DE BOMBEROS

TIENDA DE COMESTIBLES

SUPERMERCADO

PUESTO DE PERIÓDICOS

OFICINA DE CORREOS

DISCOTECA

HOTEL

ESCUELA

_____   _____   _____

_____   _____   _____

_____   _____   _____

_____   _____   _____

_____   _____   _____

_____   _____   _____

_____   _____   _____

_____   _____   _____

ACTIVIDAD D

Números mágicos. Here's a bit of "magic arithmetic" in Spanish.

1. Choose one of these numbers: uno, dos, tres, cuatro, cinco, seis, siete ocho, nueve, diez.

    Write it here: _____
    y nueve: _____
    multiplicado por dos: _____
    menos cuatro: _____
    dividido por dos: _____
    menos tu número original: _____

    Solución: ¡**SIETE**!

2. Choose a number as in 1, above.

    Write it here: _____
    multiplicado por dos: _____
    y cuatro: _____
    dividido por dos: _____
    y siete: _____
    multiplicado por ocho: _____
    menos doce: _____
    dividido por cuatro: _____
    menos quince: _____
    dividido por dos: _____

    Solución: ¡**EL NÚMERO ORIGINAL**!

ACTIVIDAD E

¿Dónde está la parada del autobús?   Identify the places. Then write the numbered letters in the boxes below to reveal where the bus stop is.

1. 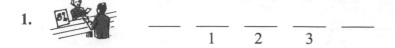 __ __ __ __ __
         1   2   3

2.  __ __ __ __ __ __
     4 5   6 7   8

3. __ __ __ __ __ __ __ __
    9 10 11   12 13

4. __ __ __ __
          14 15

Solución:

9	13	12	6	1	11	9	13	15	1

14	4	7	3	7	2	1

ACTIVIDAD F

Picture story.

En un 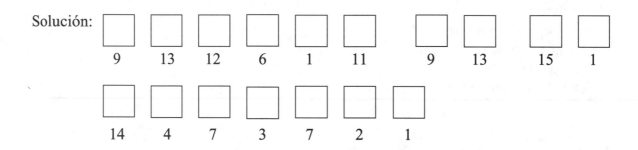 hay un grupo de . Están comiendo  y tomando . María, una dice: Mañana es el

de Luis. Vamos a tener una . Manuel dice que él puede preparar la

 ; Ana va a decorar la con y

y una . Para van a usar . Buena idea—dice

Juan. Yo voy a enviar las . Luis tiene suerte. Él va a recibir

muchos .

Sexta Parte

21

La ropa

*The Verb **llevar** (to wear);
Demonstrative adjectives: **este, esta, estos,
estas, ese, esa, esos, esas**.*

1 Vocabulario

| vestido | falda | medias | suéter | blusa |

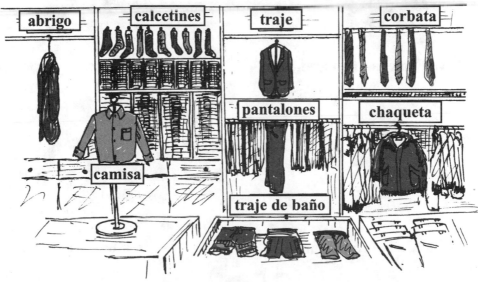

| abrigo | calcetines | traje | corbata |
| camisa | pantalones | chaqueta |
| traje de baño |

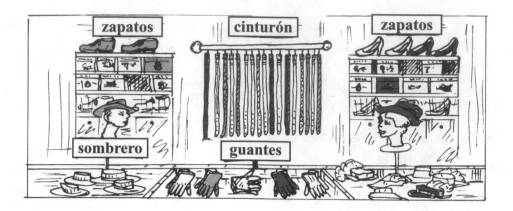

Now let's see what everyone's wearing:

Yo llevo una camisa vieja.

Tú llevas una camiseta moderna.

Pepe lleva una chaqueta grande.

El profesor lleva un traje gris.

Gloria lleva un vestido bonito.

María lleva una falda y una blusa.

Yo llevo un abrigo negro.

Mi abuela lleva un suéter.

Mi papá lleva una corbata bonita.

Ella lleva un sombrero blanco.

Elena lleva un traje de baño.

Él no lleva cinturón.

Tú llevas pantalones cortos y
yo llevo pantalones largos.

Yo llevo calcetines blancos.
Ella lleva medias negras.

¿Lleva Ud. los zapatos negros?　　　　　　**Ellos llevan guantes.**

Note: We have seen many examples of people wearing different clothing. The word **llevar** (*to take, to carry*) also means *to wear*. It is a regular **-ar** verb. Tell what the following people are wearing.

1. Yo _____ un traje negro.

2. Tú _____ unos zapatos nuevos.

3. Lola _____ un abrigo de invierno.

4. Nosotras _____ faldas modernas.

5. Ellos _____ unos guantes bonitos.

ACTIVIDAD A

Rosita is going shopping for clothes. What does she buy? Rosita compra...

1. _____　　2. _____　　3. _____

4. _____　　5. _____　　6. _____

7. _____

8. _____

9. _____

10. _____

11. _____

12. _____

ACTIVIDAD ß

Luis also went shopping for clothes. What did he buy? **Luis compra…**

1. _____

2. _____

3. _____

4. _____

5. _____

6. _____

7. _____

8. _____

9. _____

10. _____

11. _____

12. _____

Notice the following:

<u>este</u> **zapato**

<u>esta</u> **corbata**

Can you guess what the words **este** and **esta** mean? These words indicate something **near** you. In English we say *this* shoe and *this* tie. Note the masculine and feminine forms of the word.

Complete:

this suit   _____ traje

this shirt   _____ camisa

Now observe the following:

<u>ese</u> **zapato**

<u>esa</u> **corbata**

Ese and **esa** indicate something away from you. In English we say *that*.

Complete:

that suit   _____ traje

that shirt   _____ camisa

Now, let's see what happens in the plural:

estos **zapatos**   **estas** **corbatas**

What is the English equivalent for **estos** and **estas**? In English we say *these*.

Complete:

these suits   _____ trajes

these shirts   _____ camisas

Now observe the following:

esos **zapatos**   **esas** **corbatas**

What do we say in English for **esos** and **esas**? We say *those*.

Complete:

those suits   _____ trajes

those ties   _____ corbatas

Remember:

Singular

este zapato *this* shoe	**ese** zapato *that* shoe
esta corbata *this* tie	**esa** corbata *that* tie

Plural

estos zapatos *these* shoes	**esos** zapatos *those* shoes
estas corbatas *these* ties	**esas** corbatas *those* ties

ACTIVIDAD C

School has begun and Mrs. González is buying clothes for her two children, Luisa and Gabriel. She points out various articles of clothing to the store clerk.

Yo quiero

1. these socks _____

2. this shirt _____

3. that blouse _____

4. those pants _____

5. this jacket _____

6. that tie _____

7. this coat _____

8. that dress _____

9. those hats _____

10. that suit _____

11. these skirts _____

12.   this belt   _____

13.   those gloves   _____

14.   these shoes   _____

15.   that sweater   _____

16.   those stockings   _____

Now read this story about Rosita's problems with her party clothes:

La ropa nueva de Rosita

ROSITA: Mira, mamá. Una invitación para la fiesta de cumpleaños de Teresita. Ahora tengo que comprar ropa nueva.

MAMÁ: Pero, niña, tú tienes ropa muy bonita. No necesitas comprar nada.

ROSITA: No tienes razón, mamá. Mi ropa es vieja y esta fiesta es muy importante. Todos los muchachos van a estar allí.

MAMÁ: Muy bien. Mañana vamos a las tiendas en el nuevo centro comercial.

(Al día siguiente, en una tienda de ropa.)

VENDEDORA: Buenas tardes. ¿En qué puedo servirles?

MAMÁ: Mi hija va a una fiesta el sábado y queremos comprar ropa nueva para ella.

ROSITA: Sí, quiero ropa moderna, de última moda.

VENDEDORA: Bueno. ¿Le gusta esta minifalda que va muy bien con esta blusa roja?

ROSITA: Sí, ¡perfecto! Me gustan también estas medias, estos zapatos y esta chaqueta corta.

MAMÁ: Ay, Rosita, vas a ser la chica más moderna de toda la fiesta.

(Más tarde, en casa, Rosita habla por teléfono con Teresita.)

TERESITA: Sí, Rosa, va a ser una fiesta fantástica. Todos vamos a llevar nuestra ropa vieja, como en tiempos pasados.

ROSITA: ¡Oh, no!

centro comercial *mall*

al día siguiente
    next day

de última moda *in the
    latest style*

más tarde *later*

los tiempos pasados
    the old days

ACTIVIDAD D

Answer the following questions:

1. ¿Qué recibe Rosita?

    _____

2. ¿Qué quiere comprar Rosita?

    _____

3. ¿Por qué es importante la fiesta?

    _____

4. ¿Dónde compra Rosita su ropa?

    _____

5. ¿Cuándo es la fiesta?

    _____

6. ¿Qué clase (kind) de ropa quiere Rosita?

    _____

7. ¿De qué color es la blusa que compra Rosita?

    _____

8. ¿Con quién habla Rosita por teléfono?

    _____

9. ¿Qué clase de ropa van a llevar en la fiesta?

    _____

10. ¿Está contenta ahora Rosita?

    _____

Para conversar en clase

1. ¿Cuándo llevan traje de baño los muchachos?

2. ¿Es moderna la minifalda?

3. ¿Cuándo lleva suéter la gente?

4. ¿Qué ropa está de moda hoy?

ACTIVIDAD E

You are going shopping. Say what you want.

EXAMPLE: camiseta / amarillo   **Quiero la camiseta amarilla.**

1. zapatos / blanco

   _____

2. sombrero / azul

   _____

3. traje de baño / negro

   _____

4. camisa / rojo y blanco

   _____

5. suéter / verde

   _____

6. cinturón / marrón

   _____

7. guantes / amarillo

   _____

ACTIVIDAD F

What a mess! Pancho has left his clothes scattered all over his room. Can you help him find them? Complete the sentences below.

1. Un zapato de Pancho está debajo de la cama.

2. El otro zapato está _____.

3. El cinturón está _____.

4. El suéter está _____.

5. La chaqueta está _____.

6. El sombrero está _____.

7. Los pantalones están _____.

8. La corbata está _____.

9. Los guantes están _____.

10. La camisa está _____.

CONVERSACIÓN

Vocabulario

    amorcito, mi amor, mi vida *my darling, my love*

    ¡Vámonos! *Let's go!*

DIÁLOGO

Complete the dialog.

INFORMACIÓN PERSONAL

1. ¿Cuántas camisas tienes?

   _____

2. ¿Cuántos pares de zapatos tienes?

   _____

3. ¿Quién compra tu ropa?

   _____

4. ¿Cuál es tu color de camisa favorito?

   _____

5. ¿Qué ropa llevas hoy?

   _____

THE COGNATE CONNECTION

Give the meanings of the following Spanish and English words. Then use each English word in a sentence.

SPANISH		ENGLISH COGNATE	
1. tener sueño (to be sleepy)		insomnia (sleeplessness)	
2. precio	_____	precious	_____
3. verde	_____	verdant	_____
4. menor	_____	minority	_____
5. avión	_____	aviation	_____
6. correr	_____	current	_____
7. voz	_____	vocal	_____

8.	ocho	_____	octopus	_____
9.	bueno	_____	bonus	_____
10.	poder	_____	potent	_____
11.	pensar	_____	pensive	_____

ENGLISH COGNATES USED IN SENTENCES

1. The patient was suffering from *insomnia*.

2. _____

3. _____

4. _____

5. _____

6. _____

7. _____

8. _____

9. _____

10. _____

11. _____

List some other English cognates of the Spanish words in this lesson.

PRACTÍCALO

Your relatives have given you $250 as a birthday present. You need the money to buy new clothes. Make a list in Spanish of eight articles of clothing that you would buy, indicating their color. Use the formula: **Voy a comprar...**

CÁPSULA CULTURAL

Let's Go Shopping

Most Americans shop in supermarkets. **Supermercados** exist as well in Spain and Latin America, but smaller stores specializing in particular products are still an important part of the marketing scene. Milk, cheese, butter, and other dairy products are sold at the **lechería**. Bread can be bought at a **panadería**, fruit at a **frutería**, candy at a **dulcería**, and cakes at a **repostería**. There are also **carnicerías** (*butcher shops*), **pescaderías** (*fish markets*), and **florerías** (*flower shops*).

For groceries in general, you would go to a grocery store. There are many different names for this type of store, depending on the country. In some places, it is called **una tienda de comestibles**, in others **una tienda de abarrotes**, or **abarrotería**. In still others, it's **una pulpería** or **una tienda de ultramarinos**. In some places, it's called **una bodega**. But a **bodega** in Spain is a store that sells only wine from barrels.

So, when in doubt, go to a **supermercado**!

Comprensión

1. **Ir de compras** means to _____.

2. A store where many different items are sold is _____.

3. Stores where a particular product is sold usually ends in the letters

   _____.

4. Grocery stores have many names, such as _____,

   _____, and _____.

5. What are the following stores: **la farmacia** _____; **la zapatería**

   _____, **la librería** _____, **la joyería**

   _____, **la tienda de ropa** _____, **la cafetería**

   _____

Investigación

Find out more about the famous market places in the Spanish-speaking world—El Rastro (Madrid), La Ciudadela (Mexico). What can be bought there?

VOCABULARIO

ARTICLES OF CLOTHING

la **camisa** *shirt*
la **chaqueta** *jacket*
el **traje** *suit*
el **abrigo** *overcoat*
la **corbata** *tie*
el **traje de baño** *bathing suit*

los **pantalones** *trousers*
los **calcetines** *socks*
los **zapatos** *shoes*
el **vestido** *dress*
la **falda** *skirt*
la **blusa** *blouse*

el **suéter** *sweater*
el **sombrero** *hat*
el **cinturón** *belt*
las **medias** *stockings*
los **guantes** *gloves*

DEMONSTRATIVES

esa *that* (fem. sing.)
ese *that* (masc.)
esas *those* (fem. pl.)
esos *those* (masc. pl.)

esta *this* (fem. sing.)
este *this* (masc. sing.)
estas *these* (fem. pl.)
estos *these* (masc. pl.)

IMPORTANT WORDS

llevar *to wear, to take*
necesitar *to need*

22

Los animales

*The Verb **decir***

1 Vocabulario

el perro

el perrito

el caballo

el gato

el gatito

**el cochino,
el cerdo, el puerco**

la vaca

el toro

el burro

el león   el elefante   el tigre

el lobo   el conejo   el zorro

el mono   el ratón   el pez

el pájaro   el pato   la gallina

ACTIVIDAD A

You went to visit the zoo. Here are some of the animals you saw. Label the pictures.

1. _____   2. _____   3. _____

4. _____   **5.** _____   **6.** _____

ACTIVIDAD ß

La finca de Paco Pérez. Can you list all the animals on Paco's farm?

ACTIVIDAD C

There are ten animals hidden in this picture. Find them and list them in the spaces provided.

_____   _____

_____   _____

_____   _____

_____   _____

_____   _____

Now read this story about animals:

No estamos solos

No estamos solos en este mundo. Vivimos con muchas clases de animales. Los animales más comunes son los animales domésticos como el perro y el gato. El gato vive en la casa con nosotros y caza ratones. El perro es nuestro amigo y compañero.

cazar *to hunt*

Si vivimos en la ciudad, no tenemos la oportunidad de ver otros animales. La vaca, por ejemplo, da leche y de la leche hacemos el queso, la crema y otros productos. La gallina pone

poner *to lay*

huevos, y su carne se llama pollo. La carne de vaca se llama (¡naturalmente!) carne de vaca. Si queremos comer carne de cochino, decimos puerco o cerdo.

la carne de vaca *beef*

Hay otros animales que viven en libertad o que están en parques zoológicos. Estos animales son animales salvajes, como el tigre, el león, el lobo y el zorro.¿Tiene Ud. un lobo en casa? ¿No? ¿Un tigre, quizás? ¡Cuidado! El tigre y el león son de la familia del gato. El lobo y el zorro son de la familia del perro.

salvaje *wild*
quizás *maybe*
   ¡Cuidado! *Be careful*

ACTIVIDAD D

Complete these sentences:

1. En este mundo hay muchas _____ de animales.

2. _____ y _____ son dos animales domésticos.

3. El gato caza _____.

4. El perro es el _____ dcl hombre.

5. La vaca da _____.

6. Los huevos son productos de _____.

7. La carne de la gallina se llama _____.

8. La carne de cochino se llama _____ o _____.

9. El león es un animal _____.

10. El lobo, el zorro y el _____ son de la misma familia.

Para conversar en clase

1. ¿Por qué tiene la gente animales en el campo? ¿Y en la ciudad?
2. ¿Es cruel cazar los animales? ¿Por qué?
3. ¿Cuál es la importancia de un parque zoológico?
4. ¿Por qué es importante preservar la jungla y los animales salvajes?

ACTIVIDAD E

¿Quién soy? Now that you know the Spanish name of some important animals, see if you can figure out who they are by their descriptions.

1. Yo soy un animal del campo. Como hierba. Soy grande y corro muy rápido. Transporto a las personas. Soy _____.

2. Como carne. Soy el mejor amigo del hombre. No me gustan los gatos. Soy _____.

3. Soy grande y pacífica. Vivo en el campo. Como hierba todo el día. Doy leche. Soy _____.

4. Soy un animal salvaje. El perro y yo somos de la misma familia. Como carne. El hombre tiene miedo cuando me ve. Soy _____.

5. Soy el animal más grande de África. No soy feroz. Como hierba. Tengo una nariz muy grande que uso como mano. Soy _____.

6. Vivo en las casas de las personas. También vivo en la calle. No me gustan los perros. Cazo ratones. Soy _____.

7. Soy un animal de poca inteligencia. Vivo en el agua. Mi carne es muy buen alimento. Soy _____.

8. Vivo en el campo. Soy un ave. Pongo huevos. Como maíz. Soy _____.

9. Yo soy un animal muy gordo. Dicen que soy sucio. De mi carne hacen tocino y jamón. Soy _____.

10. Soy un animal inteligente. Vivo en los árboles. Estoy también en el parque zoológico y en el circo. Soy _____.

el campo *field*	**el alimento** *food, nourishment*
la hierba *grass*	**el ave** *bird*
me ve *see me*	**sucio** *dirty*
feroz *savage, cruel*	

ACTIVIDAD **F**

List the animals in groups.

Animales domésticos	**Animales del campo**	**Animales salvajes**
_____	_____	_____
_____	_____	_____
_____	_____	_____
_____	_____	_____
_____	_____	_____
	_____	_____
	_____	
	_____	
	_____	

2

Here's our final irregular verb—**decir** (*to say or to tell*):

yo	**digo**	*I say, I tell*
tú	**dices**	*you say, you tell* (familiar)
Ud.	**dice**	*you say, you tell* (formal)
él ⎫ ella ⎭	**dice**	*he says, he tells* / *she says, she tells*
nosotros ⎫ nosotras ⎭	**decimos**	*we say, we tell*
Uds.	**dicen**	*you say, you tell* (plural)
ellos ⎫ ellas ⎭	**dicen**	*they say, they tell*

As you can see, the forms of **decir** do not follow the rule for irregular **-ir** verbs that you learned in Lesson 10. The endings are regular, but the **e** in **decir** changes to **i** in all forms except the **nosotros** form (**decimos**).

ACTIVIDAD G

Here are some things people are saying. Complete the sentences with the correct form of **decir**.

1. La radio _____ que va a llover hoy.

2. María _____ que tenemos mucho tiempo.

3. Pablo y sus amigos _____ que el examen es muy difícil.

4. Yo _____ que hoy es lunes.

5. Ud. siempre _____ la verdad, pero Jorge _____ mentiras (*lies*).

6. Nosotros _____ que no tenemos tareas para mañana.

7. Mis padres _____ que yo soy inteligente.

8. Tú _____ que vas a Puerto Rico este verano.

ACTIVIDAD H

Answer the following questions using the correct form of the verb **decir**.

1. ¿Cuándo dices «Buenos días»?

   _____

2. ¿Cuándo dice el profesor «¡Qué bueno!»?

   _____

3. ¿Qué decimos a la hora del almuerzo?

   _____

4. ¿Qué dicen tus padres el día de un examen?

   _____

CONVERSACIÓN

Néstor, ¿quieres vivir en la ciudad?

No sé, Raúl. Me gusta vivir en el campo.

Pero en la ciudad hay mucha gente y muchas cosas que hacer.

Yo sé. Pero todos mis amigos viven aquí.

No importa. Hay más muchachos y muchachas en la ciudad.

Yo no quiero vivir sin mis amigos Ciclón y Caramelo.

Hombre, ¿quiénes son Ciclón y Caramelo?

Ciclón es mi caballo y Caramelo es mi perro.

Vocabulario

conmigo *with me*

no importa *it doesn't matter*

muchas cosas que hacer *many things to do*

DIÁLOGO

Complete the dialog using appropriate expressions.

THE COGNATE CONNECTION

Give the meanings of the following Spanish and English words. Then use each English word in a sentence.

	SPANISH		ENGLISH COGNATE	
1.	año (year)		annual (yearly)	
2.	beber	_____	to imbibe	_____
3.	cine	_____	cinema	_____
4.	diente	_____	dentifrice	_____
5.	edificio	_____	edifice	_____
6.	cocina	_____	cuisine	_____
7.	corazón	_____	coronary	_____
8.	lengua	_____	linguist	_____
9.	dedo	_____	digit	_____
10.	decir	_____	dictate	_____

ENGLISH COGNATES USED IN SENTENCES

1. It is wise to have an *annual* physical check-up.

2. _____

3. _____

4. _____

5. _____

6. _____

7. _____

8. _____

9. _____

10. _____

List some other English cognates of the Spanish words in this lesson.

INFORMACIÓN PERSONAL

1. ¿Qué animales te gustan?

   _____

2. ¿Qué animales trabajan para el hombre?

   _____

3. ¿Qué dices al profesor (a la profesora) si no haces las tareas?

   _____

4. ¿Qué dicen tus padres si ves muchos programas de televisión?

   _____

5. ¿Te gustan los gatos? ¿Por qué (sí o no)?

   _____

PRACTÍCALO

1. List five animals you have seen in the zoo and describe them.

2. List animals that can be pets.

3. List five animals that can be found on a farm and say what they can do.

4. Using photographs from magazines or your own drawings, create a little dialog with animals as characters. Use your sense of humor!

CÁPSULA CULTURAL

Is that a camel?

There are animals native to South America related to camels. The largest are the llamas. In fact, camels are descended from them. They have recently become popular in the United States. The llama has no hump and is four to five feet tall at the shoulder, with a body of four to five feet long. It is most useful as a pack animal. Llamas can carry about one hundred pounds each and are sure-footed on mountain trails. They can travel between 15 and 20 miles a day with a full load. Llamas can sometimes be very stubborn animals. If a llama feels its pack is too heavy, or if it thinks he has worked hard enough for a while, it will lie down with its front legs under him, groan, and refuse to get up or move on. When a llama is angry or is attacked, it may spit bad-smelling saliva into its enemy's face. But in general they are very docile animals and they are even kept as pets. They are good as shepherds, driving away wolves and coyotes. A llama, being a member of the camel family, can live for weeks without drinking water , as it gets its moisture from green plants.

The ancient Incas used llamas as pack animals across the Andes. They also made them part of their religious ceremonies. According to legend, it was a llama which warned an Inca family of the approaching rain and floods, thus saving this family, from which all other Incas descended. It is the Incas' story of Noah's ark and the deluge.

The Incas found a practical use for every part of a llama's body, especially its wool, which they wove into clothing. The llamas have been considered for centuries noble animals.

Comprensión

1. What is the camel of the Americas? _____

2. As pack animals, how much can they carry? _____

3. Who used llamas as pack animals long ago? _____

4. Where did they use them? _____

5. What part of the animal did they use the most? _____

Investigación

Find out more about llamas and their relatives, alpacas and vicuñas. Find out where you can find llamas in the United States. There are some farms that raise them. And some famous people keep them as pets.

VOCABULARIO

ANIIMALS

ave *bird*
el **burro** *donkey*
el **caballo** *horse*
el **cerdo** *pig*
el **cochino** *pig*
el **conejo** *rabbit*
el **elefante** *elephant*

la **gallina** *hen*
el **gato** *cat*
el **león** *lion*
el **lobo** *wolf*
el **mono** *monkey*
el **pájaro** *bird*
el **puerco** *pig*

el **pato** *duck*
el **pez** *fish*
el **ratón** *mouse*
el **tigre** *tiger*
el **toro** *bull*

IMPORTANT WORDS

animal doméstico *pet*
animal salvaje *wild animal*
el **campo** *country*

cazar *to hunt*
compañero *companion*
feroz *cruel*

la **finca** *land*
la **granja** *farm*

23

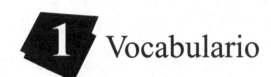

¡Qué chico es el mundo!

Countries, Nationalities, Languages

1 Vocabulario

PAÍS	NACIONALIDAD	IDIOMA
Los Estados Unidos	**norteamericano(-a)**	**el inglés**
Inglaterra	**inglés/inglesa**	**el inglés**
Canadá	**canadiense**	**el inglés y el francés**
México	**mexicano(-a)**	**el español**
España	**español/española**	**el español**
Puerto Rico	**puertorriqueño(-a)**	**el español**
Cuba	**cubano(-a)**	**el español**
Portugal	**portugués/portuguésa**	**el portugués**
el Brasil	**brasileño(-a)**	**el portugués**
Francia	**francés/francesa**	**el francés**
Haití	**haitiano(-a)**	**el francés**
Italia	**italiano(-a)**	**el italiano**
Alemania	**alemán/alemana**	**el alemán**
Rusia	**ruso(-a)**	**el ruso**
China	**chino(-a)**	**el chino**
Japón	**japonés/japonesa**	**el japonés**

NOTE: The definite article may be used with the name of some countries:

> **(la) Argentina, (el) Brasil, el Canadá, el Ecuador, los Estados Unidos, el Japón, el Perú, el Paraguay, la República Dominicana, el Uruguay.**

2

¡Qué chico es el mundo! It's indeed a small world. Even so, it has many countries, and many languages are spoken in them. Sometimes the names of the nationality and the language are the same or similar:

un muchacho español
una muchacha española } **Hablan español.**

Sometimes they are different:

un señor norteamericano
una señora norteamericana } **Hablan inglés.**

ACTIVIDAD A

Can you match up each country with its capital? To make it more challenging we've added an extra capital city. Do you know what country it's in?

EXAMPLE: Bogotá es la capital de Colombia.

País		**Ciudad**
1. Los Estados Unidos	_____	a) Londres
2. Argentina	_____	b) Berlín
3. Francia	_____	c) Tokío
4. España	_____	d) San José
5. Italia	_____	e) La Habana
6. Japón	_____	f) Buenos Aires
7. Rusia	_____	g) Washington
8. Inglaterra	_____	h) París
9. Cuba	_____	i) Madrid
10. Alemania	_____	j) Moscú
		k) Roma

ACTIVIDAD B

Where do these people come from? Complete the sentences with the correct form of the adjective of nationality for the country or state in parentheses.

EXAMPLE: (Estados Unidos) Michael es _____. Michael es norteamericano.

1. (Haití) Marie es _____.

2. (Francia) Paul y Monique son _____.

3. (Cuba) Enrique es _____.

4. (Rusia) Los abuelos de Natalia son _____.

5. (Japón) Las estudiantes nuevas son _____.

6. (Brasil) Su madre es _____.

7. (Portugal) Esos turistas son _____.

8. (Puerto Rico) Mi familia es _____.

9. (Italia) La tía de Carolina es _____.

10. (Alemania) ¿Son ellos _____?

ACTIVIDAD C

Work in pairs. One student names the country. His (her) partner answers.

Yo soy _____. Hablo _____.

EXAMPLE: Cuba. Yo soy cubano. Hablo español.

ACTIVIDAD D

Match the countries and their languages (some answers will be used more than once).

1.	la Argentina _____	10.	España _____	a.	alemán
2.	Cuba _____	11.	Portugal _____	b.	chino
3.	el Canadá _____	12.	Alemania _____	c.	español
4.	Australia _____	13.	Rusia _____	d.	francés
5.	Francia _____	14.	China _____	e.	inglés
6.	Haití _____	15.	el Ecuador _____	f.	italiano
7.	Puerto Rico _____	16.	Inglaterra _____	g.	portugués
8.	el Brasil _____	17.	México _____	h.	ruso
9.	la República Dominicana _____	18.	Chile _____		

ACTIVIDAD E

Complete the sentences with the correct information.

1. Estamos ahora en _____.
   Aquí viven los _____.
   Hablan _____.

2. Estamos ahora en _____.
   Aquí viven los _____.
   Hablan _____.

3. Estamos ahora en _____.
   Aquí viven los _____.
   Hablan _____.

4. Estamos ahora en _____.
   Aquí viven los _____.
   Hablan _____.

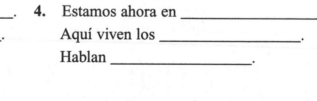

5. Estamos ahora en _____.
   Aquí viven los _____.
   Hablan _____.

6. Estamos ahora en _____.
   Aquí viven los _____.
   Hablan _____.

7. Estamos ahora en _____.

Aquí viven los _____.

Hablan _____.

8. Estamos ahora en _____.

Aquí viven los _____.

Hablan _____.

9. Estamos ahora en _____.

Aquí viven los _____.

Hablan _____.

10. Estamos ahora en _____.

Aquí viven los _____.

Hablan _____.

11. Estamos ahora en _____.

Aquí viven los _____.

Hablan _____.

12. Estamos ahora en _____.

Aquí viven los _____.

Hablan _____.

Now let's read something about our world, its countries, and its languages.

Nuestro mundo

En nuestro mundo hay muchos países y hablamos muchos idiomas. ¿Sabe usted que hay más de tres mil idiomas en el mundo?

En las Naciones Unidas hay seis idiomas oficiales: el árabe, el chino, el español, el francés, el inglés y el ruso. Los países tienen generalmente un idioma oficial. Por ejemplo, en México es el español; en Francia, el francés; en Italia, el italiano; en Alemania, el alemán; en Japón, el japonés.

Pero muchos países tienen dos o más idiomas oficiales. En Suiza, por ejemplo, hablan alemán, italiano y francés. En el Canadá, los dos idiomas oficiales son el inglés y el francés. En los Estados Unidos hablamos inglés, pero el español es importante también. En muchos lugares de nuestro país hay periódicos, revistas, películas, programas de radio y televisión en español. Hay millones de personas que hablan español en su vida diaria.

Además, el español es importante también porque es un idioma internacional. Hablan español en España y en casi todos los países de Sudamérica y Centroamérica y en tres islas importantes del Caribe: Cuba, la República Dominicana y Puerto Rico. ¿Ahora comprende Ud. por qué el español es un idioma importante?

el idioma = la lengua
language
mil *thousand*

diario (-a) *daily*

casi *almost*

ACTIVIDAD F

Answer the following questions:

1. ¿Cuántos idiomas hay en el mundo?

_____

2. ¿Generalmente cuántos idiomas oficiales tiene cada país?

_____

3. ¿Cuáles son los idiomas oficiales de Suiza?

    _____

4. ¿Cuáles son los idiomas oficiales del Canadá?

    _____

5. ¿Cuáles son los idiomas más importantes en los Estados Unidos?

    _____

6. ¿En qué otras partes del mundo hablan español?

    _____

7. ¿Cuáles son los idiomas oficiales de las Naciones Unidas?

    _____

8. ¿Por qué es importante la lengua española?

    _____

Para conversar en clase

1. ¿Qué es una persona bilingüe?
2. ¿Por qué es importante hablar dos lenguas?
3. ¿Cuáles son las lenguas importantes en tu ciudad?
4. ¿Qué palabras en inglés son del español?

CONVERSACIÓN

Vocabulario

¡Caramba! *Gosh! Wow!*
el embajador *ambassador*

DIÁLOGO

Complete this dialog using appropriate expressions.

INFORMACIÓN PERSONAL

1. ¿Qué idiomas hablan en tu casa?

   _____

2. ¿Qué idiomas enseñan en tu escuela?

   _____

3. ¿Hay alumnos de otros países en tu escuela? ¿De dónde?

   _____

4. ¿Crees que el español es un idioma importante? ¿Por qué (sí o no)?

   _____

5. ¿Conoces (do you know) otros países? ¿Cuáles?

   _____

PRACTÍCALO

You have just won a free trip to anywhere in the world. Congratulations! Tell in order of preference the five countries you would most like to visit and the language(s) spoken in each country. **¡Buen viaje!**

Model: Quiero visitar Chile. Hablan español.

CÁPSULA CULTURAL

¿Habla usted Spanglish?

There are many words in the English language that come from Spanish: tomato (from **tomate**), alligator (from **el lagarto**—lizard), cafeteria (from **café**), ranch (from **rancho**).

But did you know that it also works the other way around? Many English words have found their way into the Spanish language as well. Sometimes the spelling and pronunciation change, but the words are easily recognizable by speakers of English. If you pick up a Spanish newspaper and look at the sports pages, you will see articles on **béisbol**, **fútbol**, or **basquetbol**. They may describe how a certain pitcher gave up a **jonrón**. Or, perhaps how a **boxeador** scored a **nocaut** in **el último round**.

Restaurant menus may contain words like **sandwich, hamburguesa, soda, bistec, rosbif**, and **cóctel**. All of these words have been accepted into the Spanish language.

Recently, however, there has been among bilingual Spanish speakers an increase in the mixing of the English and Spanish languages into a hybrid called "**Spanglish**." Speakers use common expressions from either language to express a thought.

New words are created by pronouncing English words "Spanish style" and spelling them accordingly: **Fafu** (fast food), **maicrogüey** (microwave), **confley** (cornflakes), **bacuncliner** (vacuum cleaner), **lonche** (lunch).

Sometimes an English word is borrowed for reasons of efficiency. Instead of using the long three word phrase "**escribir a máquina**" for to type, they just say "**taipear**."

Most bilingual Latinos know the correct Spanish words but at times mix the two languages.

So the next time you hear someone say: **Cierra el uindo, me estoy frisando** (*Close the window, I'm freezing*), they just might be speaking "**Spanglish**."

Comprensión

1. Some English words that have come from Spanish are _____,
   _____, _____

2. "Spanglish" is a mixture of _____ and _____.

3. Some sports terms in English that have been accepted into the Spanish language are _____, _____, and _____.

4. Some English words that are pronounced and spelled "Spanish style" are _____, and _____.

5. "Taipear" is Spanglish for the Spanish phrase _____ _____ _____.

Investigación

Get a Spanish-language newspaper from the United States. Make a list of words that are "Spanglish" rather than English or Spanish.

VOCABULARIO

LANGUAGES

el alemán *German*
el chino *Chinese*
el inglés *English*
el francés *French*
el italiano *Italian*
el español *Spanish*
el portugués *Portuguese*
el ruso *Russian*

COUNTRIES

Alemania *Germany*
los Estados Unidos *United States*
Francia *France*
Italia *Italy*
(el) Japón *Japan*

COMMON EXPRESSIONS

¡Qué chico es el mundo! *Small world.*
Buen viaje. *Enjoy your trip.*

COMMON WORDS

el idioma *language*

24

Las asignaturas

Preterit Tense

1 Vocabulario

Can you guess the names of these subjects (asignaturas)?

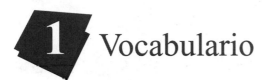

el álgebra

la geometría

la geografía

la historia

la biología

la química

la física

el arte

la música

la educación física

el inglés

el español

las matemáticas

las ciencias sociales

los trabajos manuales

ACTIVIDAD A

You have just received your class schedule for next year. What subjects do you have?

EXAMPLE: Tengo inglés.

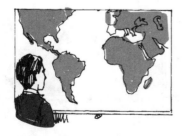

1. _____   2. _____

3.

4.

5. _____

6. _____

7. _____

8. _____

2

Up to now you have learned to talk about things happening **ahora** (*now*), **hoy** (*today*), and even **mañana** (*tomorrow*). Now you will learn to talk about things that happened **anoche** (*last night*), **ayer** (*yesterday*), **la semana pasada** (*last week*), **el mes pasado** (*last month*), or **el año pasado** (*last year*). Of course, you need to use verbs in the past tense. One such past tense in Spanish is the PRETERIT. The PRETERIT is used to express actions or events that started and were completed in the past and happened only once.

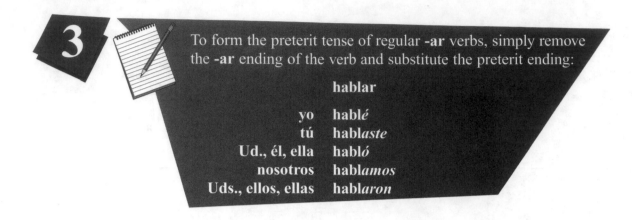

To form the preterit tense of regular **-ar** verbs, simply remove the **-ar** ending of the verb and substitute the preterit ending:

	hablar
yo	habl*é*
tú	habl*aste*
Ud., él, ella	habl*ó*
nosotros	habl*amos*
Uds., ellos, ellas	habl*aron*

ACTIVIDAD ß

Here are some things you and your friends did yesterday. Complete the sentences with the correct form of the verb in parentheses.

1. (trabajar) Carlos _____ mucho.

2. (estudiar) Tú _____ para el examen de español.

3. (comprar) Uds. _____ discos de música rock.

4. (visitar) Mercedes _____ a su padre.

5. (hablar) Mis hermanas _____ por teléfono todo el día.

6. (cantar) Ud. _____ en un programa de radio.

7. (bailar) Mauricio y Jorge _____ en varios programas de televisión.

8. (escuchar) Yo _____ música.

ACTIVIDAD C

Answer the following questions in complete Spanish sentences.

1. ¿Compró Ud. un periódico hoy?

_____

2. ¿Miró Ud. la televisión anoche?

_____

3. ¿Estudió Ud. la lección de español anoche?

    _____

4. ¿Habló Ud. ayer por teléfono con sus amigos?

    _____

5. ¿Cerró Ud. la puerta de su casa hoy por la mañana?

    _____

6. ¿Trabajó Ud. el verano pasado?

    _____

ACTIVIDAD D

Change the following sentences from the present to the preterit.

1. La profesora explica bien la lección.

    _____

2. ¿Por qué miras la televisión?

    _____

3. ¿Tomas tú el autobús detrás de tu casa?

    _____

4. Mis amigos bailan en la fiesta.

    _____

5. El cartero pasa delante de mi casa.

    _____

6. Me gustan tus zapatos nuevos.

    _____

7. Uds. caminan en dirección a la escuela.

_____

8. Nosotros usamos los tenedores de plástico.

_____

4

Now that you know the preterit tense endings of regular **-AR** verbs, let's learn the preterit of **-ER** and **-IR** verbs.

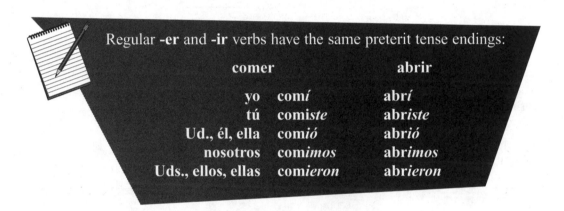

Regular **-er** and **-ir** verbs have the same preterit tense endings:

	comer	abrir
yo	com*í*	abr*í*
tú	com*iste*	abr*iste*
Ud., él, ella	com*ió*	abr*ió*
nosotros	com*imos*	abr*imos*
Uds., ellos, ellas	com*ieron*	abr*ieron*

ACTIVIDAD E

What did these people do last Sunday? Complete the sentences with the correct form of the verbs in parentheses.

1. (comer) Mis padres _____ en un restaurante mexicano.

2. (beber) Mi tío _____ vino francés.

3. (recibir) Tú _____ una sorpresa.

4. (ver) Nosotros _____ una buena película.

5. (vender) Mi hermana _____ limonada delante de la casa.

6. (escribir) Yo _____ una carta a mis abuelos.

7. (correr) Uds. _____ por el parque.

8. (salir) Juana _____ con Jorge.

9. (aprender) El bebé _____ a caminar.

ACTIVIDAD F

You had a "late start" on Sunday. What did everyone do while you were sleeping?

1. Emilio/practicar tenis

    _____

2. mi mamá/preparar la carne

    _____

3. él/hablar por teléfono

    _____

4. Yolanda y su hermana/trabajar en el jardín

    _____

5. ustedes/correr dos millas

    _____

6. mi papá/abrir la tienda

    _____

7. tus hermanos/escribir una carta

    _____

8. mis primas/comer pan con queso

    _____

9. mi tía/escuchar discos

    _____

10. mis hermanos/salir al parque

    _____

Read this story about an interesting report card. Pay attention to the verbs in bold type. They are in the preterit.

Las notas de Alejandro

Llegaron las vacaciones. Alejandro no tiene trabajo en el verano y va a pasar los meses de julio y agosto en el campo, en el parque y en la playa. **Estudió** mucho el año pasado y no quiere trabajar más.

Anoche su padre **entró** en casa y **preguntó:** —¿No tienes más clases, hijo?

—No Papá. **Estudié** mucho todo el año y ahora tengo vacaciones. Papá, ¿quieres ver una cosa interesante?

—Está bien, ¿qué es?

—Mira este informe escolar.

Entonces, el padre **miró** la tarjeta y **exclamó** furioso: —¿Es tu informe escolar? ¿Cómo es posible recibir notas tan horribles? No eres tonto. Tienes 65 en matemáticas, biología y español, y 70 en inglés y en ciencias sociales. No **estudiaste** suficiente. **Miraste** muchos programas de televisión. **Escuchaste** mucha música en la radio. **Hablaste** mucho por teléfono. ¿Qué **pasó**?

—Pero papá, tú no **miraste** bien la fecha. No es mi informe. Es un papel que **encontré** con los papeles viejos. ¡Es tu informe!

El papá miró la fecha: Alejandro tiene razón.

—Aquí está mi informe:

No está mal, ¿verdad?

ESCUELA SECUNDARIA BOLÍVAR	
INFORME ESCOLAR	
ALUMNO Alejandro Mejías	
CURSO 10	
ASIGNATURA	NOTA
INGLÉS	90
CIENCIA	95
ESPAÑOL	95
CIENCIAS SOCIALES	90
MÚSICA	95
EDUCACIÓN FÍSICA	90
MATEMÁTICAS	85

curso *grade level*

ACTIVIDAD G

Complete the following:

1. Ayer _____ las vacaciones.

2. Alejandro _____ mucho el año pasado.

3. Anoche su padre _____: —¿No _____ más clases?

4. El papá miró el informe y _____, furioso: —¿Es éste tu

    _____? ¿Cómo es posible _____ notas tan horribles?

5. Según el informe, Alejandro sacó 65 en _____,

    _____ y _____.

6. Sacó 70 en _____ y en _____.

7. El papá de Alejandro no _____ bien la fecha del informe.

8. Alejandro encontró el informe con los papeles _____.

9. El papá de Alejandro _____ la fecha del informe.

10. En realidad, Alejandro sacó 90 en _____, _____ y _____,

    85 en _____ y 95 en _____, _____

    y _____.

Para conversar en clase

1. ¿Cuándo están contentos los padres con sus hijos?
2. ¿Qué hacen los estudiantes para recibir buenas notas?
3. ¿Qué hace Ud. en los meses de verano?
4. ¿Qué estudiamos en la clase de estudios sociales?

ACTIVIDAD H

Change the following sentences from the present to the preterit.

1. Salgo de mi casa a las ocho de la mañana.

    _____

2. Uds. escriben una composición en español.

    _____

3. Nosotros saludamos a nuestros amigos.

    _____

4. Tú aceptas mi explicación.

_____

5. Rosita vive en la ciudad de México.

_____

6. Ellos beben mucho café.

_____

7. Mis hermanitas estudian por la noche.

_____

8. Nosotros comemos a las seis y después estudiamos.

_____

ACTIVIDAD I

You have to write a composition in Spanish about what happened in school yesterday. Express the following in Spanish.

1. The teacher opened the door at eight fifteen.

_____

2. We learned new words in Spanish.

_____

3. The students wrote on the blackboard.

_____

4. Manuel closed all the windows.

_____

5. I ate a hamburger in the cafeteria.

_____

6. My friends drank a soda.

_____

7. You (*formal*) studied for an exam.

_____

8. Pepe saw a Mexican film.

_____

9. María used the teacher's dictionary.

_____

10. We left the school at three o'clock.

_____

CONVERSACIÓN

Vocabulario

el curso de verano *summer school*
la mala suerte *bad luck*

DIÁLOGO

You have come home from school with your report card and are discussing it with your mother. Complete the dialog.

INFORMACIÓN PERSONAL

1. ¿Qué asignaturas tienes este semestre?

   _____

2. ¿Qué asignaturas aprendiste el año pasado?

   _____

3. ¿Qué programas de televisión viste anoche?

   _____

4. ¿A qué hora saliste de la escuela ayer?

   _____

5. ¿Qué recibiste de regalo de cumpleaños el año pasado?

   _____

PRACTÍCALO

Make up your own report card. Make a list in Spanish of all the subjects you have taken this term and give yourself the grades you think you deserve.

ESCUELA SECUNDARIA BOLÍVAR	
Alumno _____	
Curso _____	
Asignatura	**Nota**

CÁPSULA CULTURAL

Maya mathematics

If someone were asked to list the basic numerals used in mathematical computations, 0 1 2 3 4 5 6 7 8 9 would be a sensible answer—provided we are talking about the system we are presently using. The system of counting that we use today, with nine figures and a zero, originated in India. It was based on the arithmetic developed by the ancient Egyptians and Babylonians, who used it for counting money or measuring distance. Their numbers had no zero or other symbol to mean the absence of something. This kept the ancient mathematics from advancing very far.

However, thousands of miles away, in Central America and the Yucatan Peninsula (Southern Mexico), the Mayan people developed one of the world's greatest ancient civilizations.

Skilled in mathematics, astronomy, science, art, and architecture, they developed a full writing system using an advanced form of hieroglyphics and numbering, recording dates and astronomical information in folding books made of bark-cloth paper.

One of the major accomplishments of the Maya was the development of the numerical concept of zero—essential to the understanding and development of modern mathematics. Their mathematical system consisted of bars and dots. The Mayans used only three numerical symbols—the dot for one, the bar for five, and the shell for zero.

Unlike our system, which is decimal (based on 10) and increases in value from right to left, the Mayan system was based on 20 and increased from bottom to top in vertical columns.

The Mayans were fascinated with numbers, especially 20. There were twenty days in a month, twenty months in a year, twenty years to a 400-year period. The Mayan calendar begins in 3114 BC and measured time to a period 9,000,000 years into the future!

Comprensión

1. Our counting system consists of _____ basic numerals.

2. The Mayan civilization was located in _____.

3. The Mayans were skilled in _____.

4. Write the following in Arabic numerals:

   a) •• ─────   b) • •   c) • ═════

5. How would the Mayans write these numbers:
   a) 20   b) 9   c) 0

Investigación

Find out more about Mayan history. Tell about Mayan architecture. What and where was Chichén Itzá?

VOCABULARIO

SUBJECTS

el álgebra *algebra*
el arte *art*
la biología *biology*
las ciencias sociales *social studies*
la educación física *physical education*
el español *Spanish*
la física *physics*
la geografía *geography*
la geometría *geometry*
la historia *history*
el inglés *English*
las matemáticas *mathematics*
la música *music*
la química *chemistry*
los trabajos manuales *arts and crafts*

IMPORTANT WORDS

ahora *now*
anoche *last night*
el año pasado *last year*
ayer *yesterday*
el curso de verano *summer school*
mañana *tomorrow*
hoy *today*
el mes pasado *last month*
la semana pasada *last week*

SCHOOL VOCABULARY

la asignatura *subject*
el curso *grade elevel*
el informe escolar *report card*
la nota *grade*

Repaso VI
(Lecciones 21-24)

Lección 21

this	**este, esta**	*that*	**ese, esa**
these	**estos, estas**	*those*	**esos, esas**

Lección 22

The verb **decir** (*to say, to tell*) has irregular forms except for the **nosotros** form:

yo	**digo**	**nosotros**	
tú	**dices**	**nosotras** }	**decimos**
Ud.		**Uds.**	
él, ella }	**dice**	**ellos, ellas** }	**dicen**

Lección 23

Review the vocabulary on page 424.

Lección 24

To form the preterit tense of regular **-AR**, **-ER**, and **-IR** verbs, drop the **-ar**, **-er**, and **-ir** from the infinitive and add the appropriate endings:

	hablar	**correr**	**subir**
yo	**hablé**	**corrí**	**subí**
tú	**hablaste**	**corriste**	**subiste**
Ud., él, ella	**habló**	**corrió**	**subió**
nosotros	**hablamos**	**corrimos**	**subimos**
Uds., ellos, ellas	**hablaron**	**corrieron**	**subieron**

ACTIVIDAD A

Complete the sentences under the pictures with the preterit tense. Choose the verbs from the following list:

comer	correr	preparar	subir
comprar	practicar	salir	viajar

1. Ayer mis amigos _____ fútbol.

2. El sábado pasado María _____ un vestido.

3. Anoche mi mamá _____ arroz con pollo.

4. El verano pasado yo _____ muchas cerezas.

5. Ayer mi gato _____ a un árbol.

6. Anoche ellos _____ tres millas.

7. La semana pasada nosotros _____ de la escuela tarde.

8. Ud. _____ a Puerto Rico en avión.

ACTIVIDAD ß

¿Qué recibió Rosa para su cumpleaños? Fill in the Spanish words, then read down the boxed column to find what Rosa got for her birthday:

1.

2.

3.

4.

5.

6.

7.

8.

9.

10.

11.

12.

13.

14.

ACTIVIDAD C

Crucigrama de animales. There are sixteen animals in the puzzle, based on the picture clues below:

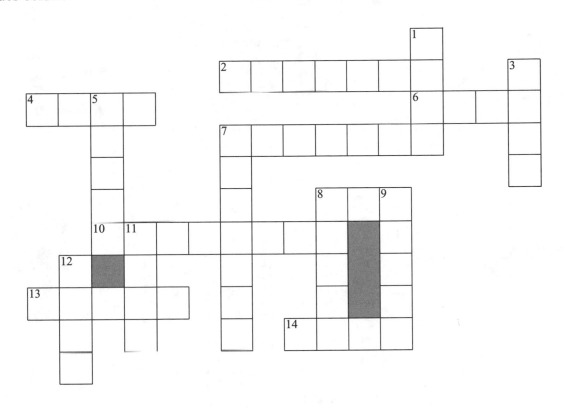

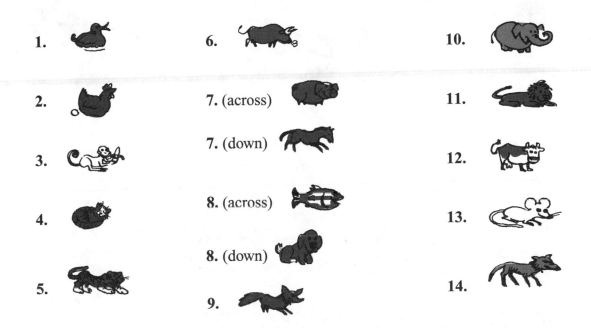

1.

2.

3.

4.

5.

6.

7. (across)

7. (down)

8. (across)

8. (down)

9.

10.

11.

12.

13.

14.

ACTIVIDAD D

Buscapalabras. There are fourteen articles of clothing and five animals hidden in the puzzle. Circle them from left to right, right to left, up or down, or diagonally across:

Z	P	N	Ó	R	U	T	N	I	C
F	A	L	D	A	V	A	C	A	H
S	N	P	C	O	R	B	A	T	A
U	T	T	A	B	L	U	S	A	Q
É	A	R	M	T	O	T	A	P	U
T	L	A	I	A	O	H	P	E	E
E	O	J	S	T	O	R	O	F	T
R	N	E	A	O	G	I	R	B	A
V	E	S	T	I	D	O	P	E	Z
D	S	O	M	B	R	E	R	O	P

_____   _____

_____   _____

_____   _____

_____   _____

_____   _____

_____   _____

_____   _____

ACTIVIDAD E

Crucigrama de idiomas. Write the Spanish names of nine languages you have learned. Letters at the intersections give further clues:

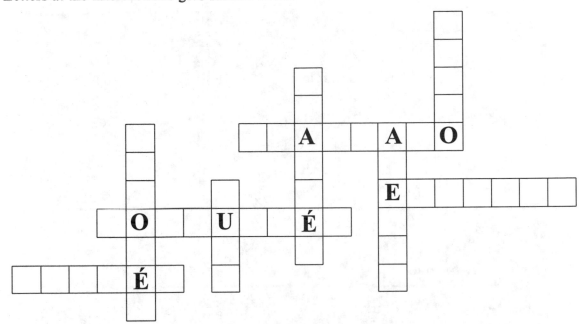

ACTIVIDAD F

Jumble. Unscramble the names of the following countries. Then arrange the letters in the circles to find out what the words have in common:

ELAMIANA

SOSEDAT DINUSO

LIRSAB

ITHÍA

GULATROP

ÑEPASA

Solución: Son

ACTIVIDAD G

Anuncio publicitario (*Advertisement*)

For each question, choose the best answer from the choices given. Base your answers on the ad above:

1.   What kinds of clothing are sold in this store? _____
     (a) For males and females of all ages. (b) For pets.
     (c) For brides. (d) For the military.
2.   What kind of sale is being held now? _____
     (a) Winter Sale. (b) Summer Sale. (c) Christmas Sale.
     (d) "Going Out of Business" Sale.

3. Where do the shoes come from? _____
   (a) Spain. (b) Italy. (c) Korea. (d) USA.
4. What kinds of jackets are being sold? _____
   (a) Men's leather jackets. (b) All kinds of women's jackets.
   (c) Boys' jackets. (d) Mink jackets.
5. What types of suits are being advertised? _____
   (a) Stylish suits. (b) Elvis Presley suits.
   (c) Children's suits. (d) Extra large suits.
6. What choice of colors is there in men's shirts? _____
   (a) Red only. (b) White only. (c) Plaid only. (d) Many colors.
7. How much money would be saved on a pair of men's trousers? _____
   (a) 50%. (b) $2. (c) $5. (d) 1/3.
8. What kinds of sweaters are being offered? _____
   (a) Children's. (b) Men's. (c) Girls'. (c) Women's.
9. How many pairs of shoes can one purchase? _____
   (a) Any number of pairs. (b) One pair. (c) Two pairs. (d) Six pairs.
10. When is the store open? _____
    (a) Tuesday through Sunday. (b) Weekdays only.
    (c) Monday, Wednesday, and Friday. (d) Every day.

ACTIVIDAD H

Picture Story. Read this story. Much of it is in picture form. When you come to a picture, read it as if it were a Spanish word:

En muchos países del , hay cuatro estaciones: la , el , el y el . La que usamos depende de la estación. Cuando hace , usamos un , un o una y . Cuando hace , no usamos mucha ropa. Las llevan un y los llevan una o una y cortos. En muchos países tropicales, como las del Caribe, nunca hace ; siempre brilla el .

Hay tropicales, y brisas del . Las son magníficas y las personas llevan para nadar. ¡Vamos a tomar el próximo para ir a una tropical!

Spanish-English Vocabulary

A

a to, at; **a la dos** at 2 o'clock
abierto open
abogada *f.*, **abogado** *m.* lawyer
abrigo *m.* overcoat
abril April
abrir to open
abuela *f.* grandmother
abuelo *m.* grandfather; **los abuelos** grandparents
accident *m.* accident
aceptar to accept
actividad *f.* activity
actor *m.* actor
actriz *f.* actress
además besides, in addition
adiós good-bye
¿adónde? *(to)* where?
¿adónde va Ud.? where are you going?
aeropuerto *m.* airport
agencia de viajes *f.* travel agency
agosto August
agradable pleasant, nice
agua *f.* water
ahora now; **ahora mismo** right now
aire *m.* air
alegre happy
alemán German man; German language; German *(adj.)*
alemana *f.* German *(woman)*; German *(adj.)*
Alemania Germany
álgebra *f.* algebra
algo something, anything; **¿hay algo más?** is there anything else?
algodón *m.* cotton
algún, alguna any
alimento *m.* food, nourishment
allí there
almacén *m.* department store
almuerzo *m.* lunch
alrededor (de) around
alto tall
alumna *f.*, **alumno** *m.* pupil, student

amable kind, nice
amarillo yellow
ambulancia *f.* ambulance
americano American
amiga *f.*, **amigo** *m.* friend
amor *m.* love; **amorcito, mi amor** darling, my love
anaranjado orange *(color)*
andar to walk; **algo anda mal** something is wrong
animal *m.* animal; **animal doméstico** pet
aniversario *m.* anniversary
anoche last night
antes de before
anuncio *m.* announcement; **anuncio publicitario** advertisement
año *m.* year; **tener... años** to be ... years old; **¿cuántos años tiene Ud.?** how old are you?
apartamento *m.* apartment
aprender to learn
aquí here
árabe Arabic person; language
árbol *m.* tree; **árbol de Navidad** Christmas tree
aritmética *f.* arithmetics
arroz *m.* rice; **arroz con frijoles** rice and beans; **arroz con pollo** chicken with rice
arte *m.* art
artificial artificial
artista *m. & f.* artist
ascensor *m.* elevator
así so, therefore
asignatura subject
aspirina *f.* aspirin
atún *m.* tuna fish
auto, automóvil *m.* car, automobile
autobús *m.* bus
ave *m.* bird
avenida *f.* avenue
avión *m.* airplane
¡ay! oh! *(expression of distress)*; **¡ay de mí!** poor me!

ayer yesterday
ayuda *f.* aid, help
ayudante *m. & f.* assistant
ayudar to help
azúcar *m.* sugar
azul blue

B

bailar to dance
baile *m.* dance
bajo low, short;
a precios bajos at low prices
banana *f.* banana
banco *m.* bank; bench
bandera *f.* flag
baño *m.* bath; **cuarto de baño** bathroom; **traje de baño** bathing suit
barbero *m.* barber
base *f.* base
basura *f.* garbage
bebé *m. & f.* baby
beber to drink
bebida *f.* beverage, drink
béisbol *m.* baseball
beso *m.* kiss
biblioteca *f.* library
bicicleta *f.* bicycle
bien well; **está bien** all right
bienvenido welcome
biología *f.* biology
bistec *m.* steak
blanco white
blusa *f.* blouse
boca *f.* mouth
bombero *m.* firefighter
bonito pretty
botánico botanical
botella *f.* bottle
Brasil *m.* Brazil
brasileño Brazilian
brazo *m.* arm
brisa *f.* breeze; **brisa del mar** sea breeze
bueno good; all right, O.K.;
¡buen viaje! have a nice trip!;
¡qué bueno! how nice!;

¡**buena suerte!** good luck!

buenos días good morning; **buenas tardes/noches** Good evening/night

burro *m.* donkey

buscar to look for

C

caballo *m.* horse

caballero *m.* gentleman

cabeza *f.* head

cada each, every

cadáver *m.* corpse; dead body

café *m.* coffee; café

calcetín *m.* sock

cálculo *m.* calculus

calendario *m.* calendar

caliente warm, hot

calor *m.* heat; **hacer calor** to be warm or hot *(weather)*; **tener calor** to be *(= feel)* warm or hot; **hace calor hoy** it's warm today; **tengo calor** I am warm

calle *f.* street

cama *f.* bed

camarera *f.* waitress

camarero *m.* waiter

caminar to walk

camisa *f.* shirt

camiseta *f.* T-shirt; undershirt

campo *m.* country, field

Canadá *m.* Canada

canadiense Canadian

canción *f.* song

cansado tired

cantar to sing

cara *f.* face

¡**caramba!** gosh!; wow!

Caribe: mar *m.* Caribe Caribbean Sea; **la zona del Caribe** Caribbean area

carne *f.* meat; **carne de vaca** beef

carnicería *f.* butcher shop

carpintero *m.* carpenter

cartera *f.*, **cartero** *m.* letter carrier

casa *f.* house, home; **en casa** at home

casi almost

caso *m.* case

castellano *m.* Castilian; Spanish language

castigar to punish

catorce fourteen

cazar to hunt

celebrar to celebrate

célebre famous

cena *f.* supper

centavo *m.* cent, penny

centro comercial *m.* shopping center, mall

Centroamérica Central America

cerca de near

cerdo *m.* pork

cereal *m.* cereal

cereza *f.* cherry

cero zero

cerrado closed

cesta *f.* basket

champán *m.* champagne

champiñón *m.* mushroom

chaqueta *f.* jacket

chica *f.* girl

chico *m.* boy

chileno Chilean

chino Chinese

chocolate *m.* chocolate

chocolatín *m.* chocolate bar, piece of chocolate

cielo *m.* sky

cien, ciento one hundred; **por ciento** percent

ciencias *f. pl.* science; **ciencias sociales** social studies

científico *m.* scientist

cinco five

cincuenta fifty

cine *m.* movie theater; **ir al cine** to go to the movies

cinturón *m.* belt

circo *m.* circus

ciudad *f.* city

¡**claro!** of course

clase *f.* class; kind, type; **clase de español** Spanish class; **no hay clases hoy** there's no school today; **muchas clases de** many kinds of; ¿**qué clase de... ?** what kind of . . . ?

cliente *m. & f.* customer

cocina *f.* kitchen

cocinar to cook

cóctel *m.* cocktail

coche *m.* car

cochino *m.* pig

coger to take

color *m.* color

comedor *m.* dining room

comer to eat

comestibles *f. pl.* groceries; **tienda de comestibles** *f.* grocery store

comida *f.* meal; food

como as, like, ¿**cómo?** how?; ¿**cómo está Ud.?** how are you? ¿**cómo te llamas?** what is your name?

compañera *f.* **compañero** *m.* companion

compartir to share

comprador *m.*, **compradora** *f.* buyer, customer, shopper

comprar to buy

comprender to understand

con with

concierto *m.* concert

conejo *m.* rabbit

conmigo with me

conocer to know

copa wine goblet

conservas *f. pl.* canned food

contar to count

contento glad, happy

contestar to answer

contigo with you

corazón *m.* heart

corbata *f.* necktie

correo *m.* post office

correr to run

corto short

cosa *f.* thing; **muchas cosas que hacer** many things to do

costar to cost; **cuesta** it costs

costilla de puerco *f.* pork chop

creer to believe, think

crema *f.* cream

criada *f.* maid, servant

criminal criminal

crucigrama *m.* crossword puzzle

cruel cruel

cuaderno *m.* notebook, exercise book

cuadro *m.* painting

¿**cuál?** ¿**cuáles?** which? what?

cuando when; ¿**cuándo?** when?

¿**cuánto?** how much?

¿**cuántos?** how many?

cuarenta forty

cuarto *m.* room; **cuarto de baño** bathroom

cuarto: es la una y cuarto it's a quarter past one *(o'clock)*, it's 1:15

cuatro four

cubano Cuban

cubiertos *m. pl.* flatware *(knives, forks, spoons)*

cubrir to cover

cuchara *f.* spoon; tablespoon

cucharita *f.* teaspoon

cuchillo *m.* knife

cuello *m.* neck

cuerpo *m.* body

¡cuidado! *(be)* careful!

cumpleaños *m.* birthday

curso *m.* course; **curso de verano** summer course

D

dar to give

de of, from; **la hermana de María** María's sister

debajo de under, beneath

deber to owe

decir to say; to tell

dedo *m.* finger

delante de in front of

delicioso delicious

demasiado too much; **demasiados** too many

dentista *m. & f.* dentist

dependiente *m. & f.* clerk *(in a store)*

deporte *m.* sport

desayuno *m.* breakfast

describir to describe

descubrimiento *m.* discovery

desear to wish; to want

desilusionado disappointed

detrás de in back of, behind

día *m.* day; **buenos días** good morning; **día de fiesta** holiday; **todo el día** all day; **todos los días** every day; **Día de la Raza, Día de la Hispanidad** Columbus Day

diccionario *m.* dictionary

diciembre December

diente *m.* tooth

diez ten; **diez y nueve (diecinueve)** nineteen;

diez y ocho (dieciocho) eighteen; **diez y seis (dieciséis)** sixteen; **diez y siete (diecisiete)** seventeen

difícil difficult, hard

dinero *m.* money

Dios God

director *m.*, **directora** *f.* director; *(school principal)*

disco *m.* phonograph record; **disco compacto** *m.* C.D.

discoteca *f.* discotheque, disco

disculpar: disculpe excuse me

disfrutar to enjoy

divertirse to have fun

dividir to divide; **dividido por** divided by

doce twelve

docena *f.* dozen

doctor *m.*, **doctora** *f.* doctor

dólar *m.* dollar

domingo *m.* Sunday

dominicano Dominican; **la República Dominicana** Dominican Republic

¿dónde? where?

dormir to sleep

dormitorio *m.* bedroom

dos two

dulce *m.* sweet; piece of candy; **dulces** candy, sweets

durante during

E

Ecuador *m.* Ecuador

ecuatoriano Ecuadorian

edad *f.* age

edificio *m.* building; **edificio de apartamentos** apartment building

educación física *f.* physical education

ejercicio *m.* exercise

él he

electrodoméstico: aparato electrodoméstico *m.* electrical appliance

elefante *m.* elephant

ella she

ellas, ellos they

empezar to begin

empleada *f.*, **empleado** *m.* employee

en in, on

encima (de) on top (of)

enero January

enfermera *f.*, **enfermero** *m.* nurse

enfermo sick, ill; **enferma,** *f.*, **enfermo** *m.* sick person, patient

enfrente across from

enorme enormous, huge

ensalada *f.* salad; **ensalada de papas** potato salad

enseñar to teach

entonces then; in that case

entrar (en) to enter; **entrar en la clase** to enter *(come into)* the class

esa, ese, eso that; **eso es todo** that's all; **por eso** for that reason

escribir to write

escritorio *m.* desk

escuchar to listen *(to)*

escuela *f.* school

España Spain

español Spanish; *m.* Spaniard; **española** *f.* Spanish woman; **español** *m.* Spanish *(language)*

espectáculo *m.* spectacle

esperar to wait; to hope

esposa *f.* wife

esposo *m.* husband

esta, este this; **esta noche** tonight

estación *f.* season; station; **estación de trenes** train station

estadio *m.* stadium

Estados Unidos *m. pl.* United States

estar to be; **está bien** O.K., all right

estilo *m.* style

estómago *m.* stomach

estrella *f.* star

estudiante *m. & f.* student

estudiar to study

estudio *m.* study

estupendo great, fine

examen *m.* (*pl.* **exámenes**) examination, test

excelente excellent

F

fábrica *f.* factory
fácil easy
falda *f.* skirt
familia *f.* family
famoso famous
farmacia *f.* pharmacy, drugstore
favor *m.* favor; **por favor** please
febrero February
fecha *f.* date
feo ugly
feroz savage, cruel
fiebre *f.* fever
fiesta *f.* party; **día de fiesta**
  holiday
fin *m.* end; **al fin** at last;
  finalmente finally; **fin de**
  semana weekend
finca *f.* farm
física *f.* physics
foto, fotografía *f.* photo,
  photograph
flaco thin, skinny
flor *f.* flower
francés French; *m.* Frenchman;
  French language
francesa French; *f.* French woman
Francia France
frase *f.* sentence
frecuencia: con frecuencia
  frequently
frente forehead; **frente a** across
  from, facing
fresco fresh; **hace fresco** it's
  cool (weather)
frijoles *m. pl.* beans
frío cold; **hacer frío** to be cold
  (weather); **tener frío** to be
  (= *feel*) cold; **tengo frío** I'm
  cold; **estar frío** to be cold
  (liquids or objects); **el agua**
  está fría the water is cold
frito fried
fruta *f.* fruit
frutería *f.* fruit store

G

gallina *f.* hen
ganar to win; to earn
garaje *m.* garage
gasolina *f.* gas

gatito *m.* kitten
gato *m.* cat
general: por lo general
  in general
gente *f.* people
geometría *f.* geometry
globo balloon
gordo fat
gracias thanks, thank you;
  muchas gracias thanks very
  much
grado *m.* degree; grade
grande big, large, great
gratis free of cost
guante *m.* glove
guapo handsome
gustar to please; **me gusta(n)**
  I like
guía *m. & f.* guide

H

habitación *f.* room
hablar to speak, talk; **hablar**
  por hablar to talk for talk's
  sake
hacer to do; to make; **hace**
  buen tiempo the weather is
  nice; **hace calor** it's warm
  (hot); **hace fresco** it's cool
  (chilly); **hace frío** it's cold;
  hace mal tiempo the weather
  is bad; **hace sol** it's sunny;
  hace viento it's windy;
  ¿qué tiempo hace? how's
  the weather?
Haití Haiti
haitiano Haitian
hambre *f.* hunger; **tener**
  hambre to be hungry
hamburguesa *f.* hamburger
hasta until; **hasta la vista** I'll
  be seeing you, see you later;
  hasta mañana see you
  tomorrow; **hasta luego** see
  you later
hay there is; there are; **no hay**
  there isn't, there aren't; **no**
  hay clases hoy there's no
  school today
helado *m.* ice cream; **helado de**
  vainilla vanilla ice cream
hermana *f.* sister

hermano *m.* brother
hierba *f.* grass
hija *f.* daughter
hijo *m.* son; **hijos** sons, sons
  and daughters
historia *f.* history
hoja *f.* leaf
hola hello
hombre *m.* man
hora *f.* hour; **¿qué hora es?**
  what time is it?; **es hora de**
  it is time to
horrible horrible
hotel *m.* hotel
hoy today
huevo *m.* egg; **huevos fritos**
  fried eggs; **huevos duros**
  hard-boiled eggs

I

idioma *m.* language
iglesia *f.* church,
importa: no importa it doesn't
  matter, never mind
importado imported
importante important
imposible impossible
informe *m.* report
Inglaterra England
inglés English; *m.* Englishman;
  English language
inglesa English; *f.* Englishwoman
inmenso immense, huge
invitación invitation
invitar to invite
inteligente intelligent
interesante interesting
invierno *m.* winter
ir to go; **ir a pie** to walk, go on
  foot; **ir en auto, ir en**
  automóvil, ir en coche to go
  by car; **ir en autobús** to go
  by bus; **ir en avión** to go by
  plane; **ir en bicicleta** to go by
  bicycle; **ir en metro** to go by
  subway; **ir en taxi** to go by
  taxi; **ir en tren** to go by train;
  ir de compras to go
  shopping; **ir de excursión** to
  go on a trip
isla *f.* island
Italia Italy
italiano Italian

J

jamón *m.* ham;
Japón *m.* Japan
japonés Japanese; *m.* Japanese man; Japanese language
japonesa Japanese; *f.* Japanese woman
jardín *m.* garden; **jardín botánico** botanical garden
joven young; *m.* young man young woman
juego *m.* game; match; **hacer juego** to match
jueves *m.* Thursday
jugo *m.* juice; **jugo de naranja** orange juice
julio July
junio June

K

kilómetro *m.* kilometer

L

labio *m.* lip
lado *m.* side; **al lado de** next to, beside
lago *m.* lake
lámpara *f.* lamp
lana *f.* wool
lápiz *m.* (*pl.* **lápices**) pencil
largo long
lata *f.* can
lección *f.* lesson
leche *f.* milk
lechería *f.* dairy
lechuga *f.* lettuce
leer to read
legumbre *f.* vegetable
lejos de far from
lengua *f.* tongue, language
lenguado *m.* sole
león *f.* lion
levantar to lift, raise;
levantarse to get up; **yo me levanto** I get up
libra *f.* pound
libre free
librería *f.* bookstore
libro *m.* book
limón *m.* lemon
limpiar to clean

limpio clean
liquidación *f.* sale
lista de platos *f.* menu
litro *m.* liter *(= 1.06 quarts)*
llamar to call; **¿cómo se llama Ud.?** what is your name?; **yo me llamo Susana** my name is Susana; **él se llama Pablo** his name is Pablo
llenar to fill; to fulfill
lleno full
llevar to wear; to take
llueve it's raining
lobo *m.* wolf
loco crazy; *m.* crazy person, lunatic
lugar *m.* place
lunes *m.* Monday

M

madre *f.* mother
maestra *f.*, **maestro** *m.* teacher; *m.* master
¡magnífico! great! wonderful!
maíz *m.* corn
malo bad; **estar malo** to be sick, feel sick
mamá *f.* mom; **mamacita, mamita** *f.* mommy
mandar to send
mano *f.* hand
mantequilla *f.* butter
manzana *f.* apple
mañana tomorrow; **de la mañana** A.M., in the morning
mar *m.* sea, ocean
mariscada *f.* seafood casserole
mariscos *m. pl.* seafood
martes *m.* Tuesday
marzo March
más more; **más de, más que** more than
matemáticas *f. pl.* mathematics
matrícula *f.* license-plate number
mayo May
mayonesa *f.* mayonnaise
media *f.* stocking; half
medianoche *f.* midnight
médica *f.*, **médico** *m.* physician, doctor
medicina *f.* medicine;

medication
medio half; **es la una y media** it is half past one (o'clock); *m.* environment
mediodía *m.* noon
menos minus; except
menú *m.* menu
mercado *m.* market
mes *m.* month
mesa *f.* table; desk
método *m.* method
mexicano Mexican
México Mexico
mi, mis my
miércoles *m.* Wednesday
mío mine
mirar to look (at); **mirar la televisión** to watch television
mismo same
moda *f.* fashion, style; **de última moda** in the latest style
moderno modern
módico moderate
modismo *m.* idiom
moneda *f.* coin
mono *m.* monkey, ape
monstruo *m.* monster
monstruoso monstrous
morena brunette; **moreno** brown
morir to die
mosquito *m.* mosquito
mostaza *f.* mustard
motocicleta *f.* motorcycle
motor *m.* motor, engine
muchacha *f.* girl **muchacho** *m.* boy
mucho much, a great deal (of), a lot (of);
muchos many; **tengo mucho calor** I'm very warm
mujer *f.* woman
mundo *m.* world; **todo el mundo** everybody
museo *m.* museum
música *f.* music
muy very

N

nacimiento *m.* birth
nación *f.* nation; **Naciones Unidas** United Nations

nacionalidad *f.* nationality
nada nothing; **de nada** you're welcome
nadar to swim
naranja *f.* orange
naranjada *f.* orangeade
nariz *f.* nose
natural natural
Navidad *f.* Christmas; **¡feliz Navidad!** merry Christmas!
necesario necessary
necesitar to need
negro black
nena *f.*, **nene** *m.* baby
nevera refrigerator
ni not even
nieva it is snowing
niña *f.*, **niño** *m.* child
no no; not
noche *f.* night; **buenas noches** good evening, good night; **esta noche** tonight; **todas las noches** every night
normal normal
norteamericano American, U.S. citizen
nosotros we
nota *f.* note; mark, grade
noventa ninety
noviembre November
nube *f.* cloud
nuestro our
nueve nine
nuevo new
número *m.* number; **número de teléfono** telephone number
nunca never

O

o or
obra *f.* work
octubre October
ochenta eighty
ocho eight
oficina *f.* office
ofrecer to offer
ojo *m.* eye; **ojos pardos** brown eyes
once eleven
opinión *f.* opinion
oportunidad *f.* opportunity
ordinario ordinary, common
oreja *f.* ear

otoño *m.* autumn, fall
otro other, another

P

paciente *m.* & *f.* patient
padre *m.* father; **padres** parents
pagar to pay
pago *m.* payment
país *m.* country
pájaro *m.* bird
palabra *f.* word
palmera *f.* palm tree
pan *m.* bread; **pan tostado** toast
panadería *f.* bakery
pantalones *m. pl.* pants, trousers
papa *f.* potato; **papas fritas** french fried potatoes
papá *m.* papa, dad(dy)
papel *m.* paper
paquete *m.* package
par *m.* pair
para for; to, in order to
parada *f.* stop; **parada de autobús** bus stop
Paraguay *m.* Paraguay
paraguayo Paraguayan
pared *f.* wall
parque *m.* park; **parque de atracciones** amusement park
partido *m.* game, match
pasar to spend; to pass; to happen; **¿qué te pasa?** what's the matter with you?
Pascua Florida *f.* Easter
pastel *m.* pie
pato *m.* duck
paz *f.* peace
P.D. P.S.
pedazo *m.* piece
pedir to order; to ask
película *f.* film, movie
pelo *m.* hair
pelota *f.* ball
pequeño small
pera *f.* pear
perdido lost
perfecto perfect
periódico *m.* newspaper
pero but
perrito *m.* puppy
perro *m.* dog

personas *f. pl.* people
Perú *m.* Peru
peruano Peruvian
pez *m.* fish *(live)*
piano *m.* piano
pie *m.* foot; **ir a pie** to walk
pierna *f.* leg
pimienta pepper *(spice)*
pintura *f.* painting
piña *f.* pineapple
piscina *f.* swimming pool
pistola *f.* pistol, handgun
pizarra *f.* blackboard, chalkboard
planta *f.* plant
plato *m.* plate; dish; **la lista de platos** menu
playa *f.* beach
plaza *f.* square, plaza
pluma *f.* pen
pobre poor
pobrecito poor little thing
poco little (in quantity); **un poco de agua** a little water; **pocos** few
policía *m.* & *f.* police officer
pollo *m.* chicken
poner to put; **poner un huevo** to lay an egg
popular popular
por by, through, *(in exchange)* for; "times" *(✗)*; **dividido por** divided by; **3 días por semana** 3 days a *(per)* week; **por ciento** percent; **por ejemplo** for example; **por eso** for that reason; **por favor** please; **¿por qué?** why?; **por supuesto** of course
porque because
Portugal Portugal
portugués Portuguese; *m.* Portugese man; Portuguese language
portuguesa Portuguese; *f.* Portuguese woman
postre *m.* dessert
prácticamente practically
practicar to practice
precio *m.* price; **a precios bajos** at low prices
pregunta *f.* question
preguntar to ask
preparar to prepare

presidenta *f.*, **presidente** *m.*
　president
prima *f.*, **primo** *m.* cousin
primavera *f.* springtime
primer, primero first
probable probable, likely
producto lácteo *m.* dairy
　product
profesor *m.*, **profesora** *f.*
　teacher
programa *m.* program
pronto soon
propósito *m.* purpose; **a**
　propósito by the way
pudín *m.* pudding
puedo: ¿en qué puedo
　servirle(s)? what can I do for
　you?
puerco *m.* pork; pig
puerta *f.* door; **la puerta está**
　abierta the door is open; **la**
　puerta está cerrada the door
　is closed
Puerto Rico Puerto Rico
puertorriqueño Puerto Rican
pues well, then
puesto *m.* post, stand; **puesto**
　de periódicos newsstand
puré de papas *m.* mashed
　potatoes

Q

que that; than; **más que** more
　than; **¿qué?** what? which?;
　¿qué otra cosa? what else?;
　¿qué tal? how's everything?;
　¡qué trabajo! what a job!
querer to want
queso *m.* cheese
¿quién? ¿quiénes? who?
química *f.* chemistry
quince fifteen
quizás maybe, perhaps

R

radio *f.* radio
rápido fast, rapid
ratón *m.* mouse
recibir to receive
recomendar to recommend
reconocer to recognize
refresco refreshment, soda

regalo *m.* gift, present
región *f.* region
regla *f.* ruler; rule
regresar to return, go back
regular so-so
reloj *m.* clock; wristwatch
reparar to repair, fix
requisito *m.* requirement
resfriado *m.* cold; **tener un**
　resfriado to have a cold
responder to respond, answer,
　reply
respuesta *f.* answer
restaurante *m.* restaurant
reunión reunion, gathering
revista *f.* magazine
rico rich
rojo red
romántico romantic
ropa *f.* clothes, clothing
rosa *f.* rose
rosado pink
rosbif *m.* roastbeef
rubio blond
ruido *m.* noise
Rusia Russia
ruso Russian; *m.* Russian
　language

S

sábado *m.* Saturday
saber to know; to know how;
　¿sabes nadar? do you know
　how to swim?
sal *f.* salt
sala *f.* living room
salchicha *f.* sausage, frankfurter
salir to leave, go out; **salir de la**
　casa to leave the house
salsa *f.* sauce
salud *f.* health, cheers
saludar to greet
salvaje wild, savage
sandwich *m.* sandwich
secretaria *f.*, **secretario** *m.*
　secretary
segundo second
seis six
selección *f.* selection
semana *f.* week
semanal weekly
sentado seated
sentir: lo siento I'm sorry

señora *f.* woman; Mrs.
señorita *f.* young woman; Miss
septiembre September
ser to be; *m.* being
serio serious
serpentina *f.* paper streamer
servilleta *f.* napkin
servir to serve; **¿en qué puedo**
　servirle(s)? what can I do for
　you?; **para servirle** at your
　service
sesenta sixty
setenta seventy
si if; **sí** yes
siempre always
siete seven
siguiente next, following
silla *f.* chair
sillón *m.* easy chair, armchair
simpático nice
sin without
sobre on, on top of; about,
　regarding
sociable sociable
sofá *m.* sofa
sol *m.* sun; **hace sol, hay sol**
　it's sunny
solamente only
solo alone; **sólo** only
sombrero *m.* hat
sopa *f.* soup; **sopa de**
　legumbres vegetable soup
sorprendido surprised
sótano *m.* basement
su, sus your, his, her, their
subir to go up; to climb
sucio dirty
Sudamérica South America
suelo *m.* ground, floor
suerte *f.* luck; **¡buena suerte!**
　good luck!
suéter *m.* sweater
suficiente enough
sufrir to suffer
Suiza Switzerland
suizo Swiss
supermercado *m.* supermarket
suya, suyo his, hers, its, theirs,
　yours *(formal)*

T

también also, too
tanto so much

tarde late; **más tarde** later

tarde *f.* afternoon; **buenas tardes** good afternoon; **de la tarde** P.M., in the afternoon

tarea *f.* task, homework assignment

tarjeta *f.* card

taxi *m.* taxi, cab

taza *f.* cup; **taza de café** cup of coffee

té *m.* tea

teatro *m.* theater

techo *m.* ceiling; roof

teléfono *m.* telephone

televisión *f.* television; **mirar la televisión** to watch television

televisor *m.* TV set

tendera *f.*, **tendero** *m.* storekeeper, grocer

tenedor *m.* fork

tener to have; **tener... años** to be . . . years old; **tener calor** to be *(= feel)* warm, hot; **tener frío** to be *(= feel)* cold; **tener hambre** to be hungry; **tener razón** to be right; **no tener razón** to be wrong; **tener sed** to be thirsty; **tener sueño** to be sleepy; **tener suerte** to be lucky; **tener que** + *infinitive* to have to: **tengo que ir** I have to go

terminal de autobuses *f.* bus terminal

termo *m.* thermos

terrible terrible

tía *f.* aunt

tiempo *m.* time; weather; **¿qué tiempo hace?** how's the weather?; **hace buen (mal) tiempo** the weather is nice *(bad)*; **los tiempos pasados** the old days

tienda *f.* store; **tienda de comestibles** grocery store

tigre *m.* tiger

tímido shy

tío *m.* uncle

tiza *f.* *(piece of)* chalk

toalla *f.* towel

tocino *m.* bacon

todavía yet

todo everything; **todos** all *(of them)*; **todo el día** all day;

todo el mundo everybody; **todos los días** every day

tomar to take; **tomar el desayuno** to have breakfast

tomate *m.* tomato

tonto foolish, silly; **tonta** *f.*, **tonto** *m.* fool

toro *m.* bull

torta *f.* cake

tostada *f.* toast; **tostada con mantequilla** buttered toast

trabajar to work; **trabajar mucho** to work hard

trabajo *m.* work; **trabajos manuales** arts and crafts;

traje *m.* suit; dress; **traje de baño** bathing suit, swimsuit

tránsito *m.* traffic

transporte *m.* transportation

trece thirteen

treinta thirty

tren *m.* train

tres three

triste sad

tropical tropical

truco *m.* trick

tú you *(familiar)*; **tu, tus** your *(familiar)*

turista *m. & f.* tourist

tuyo yours

U

último last; **de última moda** in the latest fashion

universidad *f.* university; college

un, una a, one; **uno** (number) one; **unos** some, a few

Uruguay m. Uruguay

uruguayo Uruguayan

usar to use

usted (Ud.) you *(formal singular)*; **ustedes (Uds.)** you *(plural)*

útil useful

uva *f.* grape

V

vaca *f.* cow; **carne de vaca** beef

vacaciones *f. pl.* vacation

valer to be worth

¡vamos!, ¡vámonos! let's go!

variedad *f.* variety

vaso *m.* *(drinking)* glass

vegetales *m.* vegetables

veinte twenty

vendedor *m.* salesman, seller

vender to sell

venta *f.* sale

ventana *f.* window

ver to see

verano *m.* summertime

verdad *f.* truth; **es verdad** it's true; **¿verdad?** isn't it so?

verde green

verduras *f. pl.* vegetables, greens *(used only in the plural)*

vestido *m.* dress

vez *f.* *(pl. veces)* time; **segunda vez** second time; **a veces** sometimes

viajar to travel

viaje *m.* trip, journey, voyage; **agente de viajes** travel agent; **¡buen viaje!** have a pleasant trip!

vida *f.* life

viejo old

viento *m.* wind; **hace viento** it's windy

viernes *m.* Friday

vino *m.* wine

visitar to visit

víspera *f.* eve; **Víspera de Todos los Santos** Halloween

vivir to live

vocabulario *m.* vocabulary

Y

yogur *m.* yogurt

y and; plus

yo I

Z

zanahoria *f.* carrot

zapatería *f.* shoe store; shoemaker's shop

zapato *m.* shoe

zoológico, parque zoológico, jardín zoológico *m.* zoological garden, zoo

zorro *m.* fox

English-Spanish Vocabulary

A

a un *m.*, una *f.*
above encima de, sobre
actor actor *m.*
actress actriz *f.*
afternoon tarde *f.*; **good afternoon** buenas tardes
air aire *m.*
airplane avión *m.*
airport aeropuerto *m.*
algebra álgebra *f.*
alone solo
also también
ambulance ambulancia *f.*
American americano, norteamericano
among entre
and y
animal animal *m.*
another otro
answer contestar, responder; respuesta *f.*
apartment apartamento *m.*; **apartment building** edificio de apartamentos *m.*
apple manzana *f.*
April abril
Argentina Argentina
Argentinian argentino
arm brazo *m.*
armchair sillón *m.*
around alrededor (de)
art arte *m.*
artificial artificial
artist artista *m. & f.*
arts and crafts trabajos manuales *m. pl.*
ask preguntar
at a; **at home** en casa; **at one o'clock** a la una; **at two o'clock** a las dos; **at what time?** ¿a qué hora?
attorney abogada *f.*, abogado *m.*
August agosto
aunt tía *f.*
automobile automóvil *m.*
autumn otoño *m.*

B

baby nena *f.*, nene *m.*, bebé *m.*
bacon tocino *m.*
bad mal
bakery panadería *f.*
banana banana
bank banco *m.*
base base *f.*
baseball béisbol *m.*
basket cesta *f.*
bath baño *m.*
bathing suit traje de baño *m.*
bathroom cuarto de baño *m.*
be ser, estar; **be cold** estar frío *(= feel cold)* tener frío; *(weather)* hacer frío; **be warm** estar caliente; *(= feel warm)* tener calor; *(weather)* hacer calor; **be hungry** tener hambre; **be thirsty** tener sed; **be. . . years old** tener. . . años: **I am ten years old** tengo diez años
beach playa *f.*
beans frijoles *m. pl.*
bear oso *m.*
because porque
bed cama
bedroom dormitorio *m.*
behind detrás (de)
believe creer
below debajo
belt cinturón *m.*
bench banco *m.*
beside al lado de
between entre
bicycle bicicleta *f.*
big grande
biology biología *f.*
bird pájaro *m.*
birthday cumpleaños *m.*
black negro
blackboard pizarra *f.*
blanket manta *f.*
blouse blusa
blue azul
book libro *m.*

bookstore librería
bottle botella *f.*
boy muchacho *m.*, chico *m.*
Brazil Brasil *m.*
Brazilian brasileño
bread pan *m.*
breakfast desayuno *m.*; **have breakfast** tomar el desayuno
breeze brisa *f.*
brother hermano *m.* **brother(s) and sister(s)** hermanos *m. pl.*
brown marrón, pardo, castaño, café; **brown eyes** ojos pardos
building edificio *m.*; **apartment building** edificio de apartamentos
bull toro m.
bus autobús *m.*; **bus terminal** terminal de autobuses *f.*
butcher shop carnicería *f.*
butter mantequilla *f.*
buy comprar
by por

C

cab taxi *m.*
café café *m.*
calculus cálculo *m.*
calendar calendario *m.*
call llamar
Canada Canadá *m.*
Canadian canadiense *m. & f.*
candy dulce *m.*; dulces *m. pl.*
car auto *m.*, coche *m.*
carrot zanahoria
cat gato *m.*
cent centavo *m.*
cereal cereal *m.*
chair silla *f.*
chalk: piece of chalk tiza *f.*
chalkboard pizarra *f.*
cheese queso *m.*
chemistry química *f.*
cherry cereza *f.*
chicken pollo *m.*
child niña *f.*, niño *m.*; **children** niños *m. pl.*

chilly: it is chilly hace fresco

Chinese chino; **Chinese**
   (language) chino *m.*

chocolate chocolate *m.*;
   chocolate ice cream helado
   de chocolate *m.*

Christmas Navidad *f.*;
   Christmas Eve Nochebuena

church iglesia *f.*

cigarette cigarrillo *m.*

circus circo *m.*

city ciudad *f.*

class clase *f.*; **in class** en
   la clase

climb subir

clock reloj *m.*

closed: the door is closed la
   puerta está cerrada

clothing, clothes ropa *f.*

cloud nube *f.*

coffee café *m.*

cold frío; **be cold** estar frío; **feel
   cold** tener frío; *(weather)*
   hacer frío; **have a cold** tener
   un resfriado

college universidad *f.*

color color *m.*

Columbus Day Día de la Raza

come into entrar en

concert concierto *m.*

cool fresco; **it's cool** *(weather)*
   hace fresco

cost precio *m.*

country *(nation)* país *m.*; *(rural
   area)* campo *m.*

cousin prima *f.*, primo *m.*

cover cubrir

cow vaca *f.*

crazy loco

cream crema *f.*

cup taza *f.*; **cup of coffee** taza
   de café

D

dairy lechería *f.*

dance bailar; baile *m.*

daughter hija *f.*

day día *m.*

December diciembre

delicious delicioso

dentist dentista *m. & f.*

describe describir

desk escritorio *m.*

dessert postre *m.*

dictionary diccionario *m.*

difficult difícil

dining room comedor *m.*

dinner cena *f.*; comida *f.*

disco, discotheque discoteca *f.*

dish plato *m.*

divide dividir; **divided by**
   dividido por

do hacer; **do the homework**
   hacer la(s) tarea(s)

doctor doctor *m.*, doctora *f.*;
   médica *f.*, médico *m.*

dog perro *m.*

dollar dólar *m.*

Dominican dominicano;
   Dominican Republic
   República Dominicana *f.*

donkey burro *m.*

door puerta *f.*; **the door is open
   (closed)** la puerta está abierta
   (cerrada)

dress vestido *m.*

drink beber; bebida *f.*

duck pato *m.*

during durante

E

ear oreja *f.*

earn ganar

Easter Pascua Florida *f.*

easy fácil

easy chair sillón *m.*

eat comer

Ecuador Ecuador *m.*

Ecuadorian ecuatoriano

egg huevo *m.*; **fried eggs** huevos
   fritos; **hard-boiled eggs**
   huevos duros

eight ocho **eighteen** dieciocho

eighty ochenta

elephant elefante *m.*

eleven once

end fin *m.*

England Inglaterra

English inglés *m.*, inglesa *f.*;
   English *(language)* inglés *m.*

enter entrar

everybody todo el mundo

eye ojo *m.*

F

face cara *f.*

facing frente a

factory fábrica *f.*

fall otoño *m.*

family familia *f.*

famous famoso, célebre

far *(from)* lejos (de)

farm finca *f.*

fast rápido

fat gordo

father padre *m.*

favorite favorito

February febrero

fever fiebre *f.*

fifteen quince

fifty cincuenta

finger dedo *m.*

fireman bombero *m.*

first primer, primero

fish pez *m.* *(live)*; pescado *m.*
   (caught)

five cinco

flag bandera *f.*

flatware *(knives, forks, spoons)*
   cubiertos *m. pl.*

floor suelo; *m.* **on the floor** en
   el suelo

flower flor *f.*

food comida *f.*

foot pie *m.*

fork tenedor m.

forty cuarenta

four cuatro **fourteen** catorce
   Fourth of July Cuatro de
   Julio *m.*, Día de la
   Independencia *m.*

fox zorro *m.*

France Francia *f.*

French francés *m.*, francesa *f.*;
   French *(language)* francés *m.*

french fries papas fritas *f. pl.*

Friday viernes *m.*

friend amiga *f.*, amigo *m.*

from de

front: in front of delante de

fruit fruta *f.*

G

garage garage *m.*

garden jardín *m.*

geometry geometría

German alemán *m.*, alemana *f.*;
  German (language) alemán
Germany Alemania
girl muchacha *f.*, chica *f.*
give dar
glass vaso *m.*; **glass of milk**
  vaso de leche
glove guante *m.*
go ir; **go in(to)** entrar en; **be
  going to** *(do something)* ir
  a + inf.: **I'm going to read**
  voy a leer; **go up** subir
good bueno; **good morning**
  buenos días; **good afternoon**
  buenas tardes; **good evening**
  (or **good night**) buenas
  noches; **good-bye** adiós
grandfather abuelo *m.*
grandmother abuela *f.*
grandparents abuelos *m. pl.*
grape uva *f.*
grocer tendera *f.*, tendero *m.*
grocery tienda de comestibles *f.*
green verde
ground suelo *m.*

H

hair pelo *m.*
Haiti Haití
Haitian haitiano
Halloween Víspera de Todos
  los Santos *f.*
ham jamón *m.*
hamburger hamburguesa *f.*
hand mano *f.*
handicraft trabajos manuales
  m. pl.
handsome guapo
happy: be happy estar
  contento, estar alegre, ser
  feliz
hard difícil; **work hard**
  trabajar mucho
hat sombrero *m.*
have tener; **have lunch** tomar el
  almuerzo; **have to** tener
  que + inf.: **I have to leave**
  tengo que salir
he él
head cabeza *f.*
heart corazón *m.*
hello hola

help ayudar
hen gallina *f.*
her su, sus, de ella
here aquí
his su, sus, de él
history historia *f.*
hog cochino *m.*
holiday día de fiesta *m.*
home: be (at) home estar en
  casa
horrible horrible
horse caballo *m.*
hospital hospital *m.*
hot (muy) caliente; **be hot** estar
  caliente; (= **to feel hot**) tener
  mucho calor; **(weather)** hacer
  mucho calor
hotel hotel *m.*
house casa *f.*
how? ¿cómo?; **how are you?**
  ¿cómo está usted?; **how
  much?** ¿cuánto?; **how many?**
  ¿cuántos?
hundred cien, ciento;
  a hundred dollars cien
  dólares; **one hundred fifty
  dollars** ciento cincuenta
  dólares
hunger hambre *f.*
hungry: be hungry tener
  hambre
husband esposo

I

I yo
ice cream helado
if si
important importante
in en
intelligent inteligente
island isla *f.*
it *(subject)* él; ella; **I like it** me
  gusta
Italian italiano; **Italian
  (language)** italiano *m.*
Italy Italia

J

jacket chaqueta *f.*
January enero
Japan Japón *m.* **Japanese**
  japonés *m.*, japonesa *f.*;

Japanese (language)
  japonés *m.*
juice jugo *m.*; **orange juice**
  jugo de naranja
July julio; **Fourth of July**
  Cuatro de Julio
June junio

K

kitchen cocina *f.*
kitten gatito *m.*
knife cuchillo *m.*
know saber; **know how**
  saber + inf.: **she knows how
  to swim** ella sabe nadar

L

lake lago *m.*
lamp lámpara *f.*
large grande
last último
lawyer abogada *f.*, abogado *m.*
leaf hoja *f.*
learn aprender
leave salir; **leave school** salir de
  la escuela
leg pierna *f.*
lemon limón *m.*
lesson lección *f.*
letter carta *f.*; **letter carrier**
  cartera *f.*, cartero *m.*
lettuce lechuga *f.*
library biblioteca *f.*
life vida *f.*
like: I like the book me gusta
  el libro **do you like the
  photos?** ¿te gustan las fotos?
lion león *m.*
lip labio *m.*
listen (to) escuchar
little (in size) pequeño;
  (in quantity) poco
live vivir
living room sala *f.*
long largo
look (at) mirar
look for buscar
lot: a lot (of) mucho; **lots of**
  muchos
lunch almuerzo *m.*; **have lunch**
  tomar el almuerzo

M

magazine revista *f.*
mailman cartero *m.*
mall centro comercial *m.*
man hombre *m.*
map mapa *m.*
March marzo
market mercado *m.*
mashed potatoes puré de
   papas *m.*
mathematics matemáticas *f. pl.*
matter: it doesn't matter no
   importa
May mayo
maybe quizás
mayonnaise mayonesa *f.*
me me
meal comida *f.*
meat carne *f.*
medicine medicina *f.*
menu lista de platos *f.*
Mexico México
Mexican mexicano
midnight medianoche *f.*
milk leche *f.*
minus menos
Miss señorita
modern moderno
Monday lunes *m.*
money dinero *m.*
monkey mono *m.*
month mes *m.*
morning mañana *f.*; **good
   morning** buenos días
mosquito mosquito *m.*
mother madre *f.*
motor motor *m.*
motorcycle motocicleta
mouse ratón *m.*
mouth boca *f.*
movie película f.; **go to the
   movies** ir al cine; **movie
   theater** cine *m.*
Mr. señor *m.*
Mrs. señora *f.*
music música *f.*; **listen to the
   music** escuchar la música
mustard mostaza *f.*
my mi, mis

N

name nombre *m.*; **what's your
name?** *(familiar)* ¿cómo te
llamas?, *(formal)* ¿cómo se
llama Ud.?; **my name is
Mary** (yo) me Ilamo María;
what's his (her) name?
¿cómo se llama él (ella)?;
his (her) name is . . . se
llama…; **their names are . . .**
se llaman…
napkin servilleta *f.*
natural natural
near cerca (de)
neck cuello *m.*
necktie corbata
new nuevo; **New Year's Day**
   Año Nuevo *m.*; **New Year's
   Eve** víspera de Año Nuevo *f.*
newspaper periódico *m.*
next próximo; **next to** al lado de
nice buen, bueno; **(person)**
   amable, simpático
night noche *f.*; **good night**
   buenas noches
nine nueve
nineteen diecinueve
ninety noventa
noon mediodía *m.*
nose nariz *f.*
note nota *f.*
notebook cuaderno *m.*
nothing nada
November noviembre
now ahora
number número *m.*; **telephone
   number** número de teléfono
nurse enfermera *f.*, enfermero *m.*

O

ocean mar *m.*
o'clock: at one o'clock a la
   una; **at two o'clock (three
   o'clock, etc.)** a las dos (las
   tres, etc.); **it's one o'clock** es
   la una; **it's two o'clock (three
   o'clock, etc.)** son las dos (las
   tres, etc.)
October octubre
of de
offer ofrecer
office oficina *f.*
old viejo; **how old are you?**
   ¿cuántos años tiene Ud.?;
   I am fifteen years old tengo
   quince años
on en, sobre; **on top of** sobre,
   encima de
one uno **one hundred** cien,
   ciento; **one hundred dollars**
   cien dólares; **one hundred
   fifty dollars** ciento cincuenta
   dólares
only sólo
open abrir; **the door is open** la
   puerta está abierta
opposite frente a
or o
orange naranja *f.*; *(color)*
   anaranjado; **orange juice**
   jugo de naranja *m.*
orangeade naranjada
ordinary ordinario
other otro
our nuestro

P

palm tree palmera *f.*
pants pantalones *m. pl.*
paper papel *m.*
Paraguay Paraguay *m.*
Paraguayan paraguayo
parents padres *m. pl.*
park parque *m.*
party fiesta
pass pasar
Patrick: St. Patrick's Day
   el Día de San Patricio
peace paz
pear pera
pen pluma *f.*
pencil lápiz *m.*; *(pl. lápices)*
people gente *f.*
pepper pimienta *f.*
Peru Perú *m.*
Peruvian peruano
physical education educación
   física *f.*
physician médica *f.*, médico *m.*
physics física *f.*
piano piano *m.*
pig cochino *m.*
pineapple piña *f.*
plant planta *f*
plate plato *m.*
plaza plaza *f.*
please por favor
plus y

policeman policía *m.* **police officer** policía *m. & f.*
poor pobre
popular popular
pork puerco *m.*, cerdo *m.*
Portugal Portugal
Portuguese portugués *m.*, **Portuguese (language)** portugués *m.*
post office correo *m.*
potato papa *f.*
practice practicer
pretty bonito
price precio *m.*
probable probable
pudding pudín *m.*
Puerto Rico Puerto Rico **Puerto Rican** puertorriqueño
puppy perrita *f.*, perrito *m.*

Q

question pregunta *f.*; **ask a question** hacer una pregunta

R

rabbit conejo m.
radio radio *f.*; **listen to the radio** escuchar la radio
rain llover; **it's raining** llueve
read leer
receive recibir
record disco m.
red rojo
restaurant restaurante *m.*
rice arroz *m.*; **rice and beans** arroz con frijoles *m.*
rich rico
ride ir en coche
rise levantarse; **I rise (get up)** yo me levanto
roastbeef rosbif *m.*; **roastbeef sandwich** sandwich de rosbif *m.*
romantic romántico
room cuarto *m.*; **bathroom** cuarto de baño; **bedroom** dormitorio *m.*; **dining room** comedor *m.*; **living room** sala *f.*
rose rosa
ruler regla
run correr
Russia Rusia

Russian ruso *m.*; rusa f.; **Russian (language)** ruso *m.*

S

sad triste
salad ensalada *f.*; **potato salad** ensalada de papas
salt sal *f.*
sandwich sandwich *m.*; **ham and cheese sandwich** sandwich de jamón y queso
Saturday sábado *m.*
sausage salchicha *f.*
say decir
school escuela *f.*; **in school** en la escuela; **there's no school today** no hay clases hoy
science ciencias *pl.*
sea mar *m.*
season estación
seated sentado
second segundo
secretary secretaria *f.*, secretario *m.*
see ver; **I'll be seeing you, see you later** hasta la vista; **see you tomorrow** hasta mañana
sell vender
September septiembre
seven siete
seventeen diecisiete
seventy setenta
she ella
shirt camisa
shoe zapato *m.* **shoe store** zapatería
shopping center centro comercial *m.*
shorts pantalones cortos *m. pl.*
sick enfermo
sing cantar
sister hermana
six seis
sixteen dieciséis
sixty sesenta
skinny flaco
skirt falda *f.*
sky cielo *m.*
small pequeño
snow nevar; **it's snowing** nieva
sociable sociable
social studies ciencias sociales *f. pl.*

sock calcetín *m.*
soda gaseosa *f.*, soda *f.*
sofa sofá *m.*
something algo
son hijo *m.*
soon pronto
soup sopa *f.*
Spain España
Spanish española *f.*, español *m.*; **Spanish (language)** español
Spaniard español *m.*
speak hablar
spend *(time)* pasar; *(money)* gastar
spoon, tablespoon cuchara *f.*; **teaspoon** cucharita *f.*
sport deporte *m.*
spring primavera
stadium estadio *m.*
star estrella *f.*
station estación *f.*; **train station** estación de trenes
steak bistec *m.*
stocking media
stomach estómago *m.*
stop parada *f.*; **bus stop** parada de autobuses
store tienda *f.*
street calle *f.*
student alumna *f.*, alumno *m.*; estudiante *m. & f.*
study estudiar
suffer sufrir
sugar azúcar *m.*
suit traje *m.*; **bathing suit, swimsuit** traje de baño
summer verano *m.*
sun sol *m.*
Sunday domingo *m.*
sunny; it's sunny hace sol, hay sol
supermarket supermercado *m.*
supper cena *f.*; **have supper** tomar la cena
sweater suéter *m.*
sweet dulce; **sweets** dulces *m. pl.*
swim nadar **swimsuit** traje de baño m.
Switzerland Suiza

T

table mesa *f.*
take tomar

talk hablar
tall alto
taxi taxi *m.*
tea té *m.*
teacher (elementary school) maestra *f.*, maestro *m.*; **(high school & college) profesor** *m.*, profesora *f.*
telephone teléfono *m.*
television televisión *f.*; **television set** televisor *m.*; **watch television** mirar la televisión
tell decir
ten diez
terminal terminal *f.*; **bus terminal** terminal de autobuses
terrible terrible
thanks, thank you gracias; **thanks very much** muchas gracias; **Thanksgiving Day** Día de Acción de Gracias *m.*
the el; la
theater teatro *m.*
their su, sus, de ellos, de ellas
there allí; **there is, there are** hay
thermos termo *m.*
they ellos, ellas
thin flaco
thing cosa *f.*
think pensar; creer
thirsty: be thirsty tener sed
thirteen trece
thirty treinta
three tres
through por
Thursday jueves *m.*
tie corbata *f.*
tiger tigre *m.*
time vez *f.* (*pl.* veces); **(clocktime)** hora *f.*: **at what time?** ¿a qué hora?; **what time is it?** ¿qué hora es?; **times (×)** por
tired: be tired estar cansado
to a
toast tostada *f.*; **buttered toast** tostada con mantequilla
today hoy
tomato tomate *m.*
tongue lengua

tooth diente *m.*
top: on top (of) sobre, encima (de)
train tren *m.*
travel agency agencia de viajes *f.*
tree árbol *m.*
tropical tropical
trousers pantalones *m. pl.*
T-shirt camiseta *f.*
Tuesday martes *m.*
tuna fish atún *m.*
twelve doce
twenty veinte
two dos
ugly feo
uncle tío *m.*
under debajo de
understand comprender
United States Estados Unidos *m. pl.*
university universidad
Uruguay Uruguay
Uruguayan uruguayo
use usar

V

vanilla vainilla *f.*; **vanilla ice cream** helado de vainilla *m.*
vegetable legumbre *f.*; (*plural only*) verduras *f. pl.*
very muy; **the water is very warm** el agua está muy caliente; **I am very warm** tengo mucho calor; **it's very warm today** hoy hace mucho calor
visit visitar
waiter camarero *m.;* **waitress** camarera *f.*
walk ir a pie, andar
want desear, querer
warm caliente; **the water is warm** el agua está caliente; **I am warm** tengo calor; **it's warm today** hoy hace calor
watch mirar
water agua *f.*
we nosotros
weather tiempo *m.*; **how's the weather?** ¿qué tiempo hace?, **the weather is bad** hace mal

tiempo; **the weather is nice** hace buen tiempo
Wednesday miércoles *m.*
week semana *f.*
welcome: you're welcome de nada
what? ¿qué?; **at what time?** ¿a qué hora?; **what's your name?** ¿cómo se llama Ud.?
when cuando; **when?** ¿cuándo?
where donde; **where?** ¿dónde?
which? ¿cuál? ¿cuáles?
white blanco
who que; **who?** ¿quién?, ¿quiénes?
why? ¿por qué?
wife esposa *f.*
win ganar
wind viento *m.*
window ventana *f.*
windy: it is windy hace viento
wine vino *m.*
winter invierno *m.*
wish desear, querer
with con
wolf lobo *m.*
woman mujer *f.*; señora *f.*; **young woman** señorita *f.*
word palabra *f.*
work trabajo *m.*; **work hard** trabajar mucho
world mundo *m.*
write escribir

Y

year año *m.*; **New Year's Day** Año Nuevo; **New Year's Eve** Víspera de Año Nuevo *f.*
yellow amarillo
yes sí
yogurt yogur *m.*
you tú, usted (Ud.), ustedes (Uds.)
young joven (*pl.* jóvenes)
your tu, tus, su, sus, de Ud., de Uds.

Z

zoo, zoological garden parque zoológico *m.*

Grammatical Index

a 124–125, 151, 295
adjectives
   demonstrative 386, 387, 388, 440
   descriptive 132, 134, 135–136, 138–139, 152
   of nationality 413–414
   possessive 273-274, 275-277
al (contraction of a + el) 124–125
-ar verbs 48–49, 53-54, 72, 123, 181, 440
arithmetic 84–85, 150
article, see definite article, indefinite article

beber 185

cognates 224, 266, 282, 327, 339, 357, 395, 409
contractions 124-125, 228

dar 185
dates 211, 218, 229
days of the week 212, 213, 229
decir 405–406, 440
definite article
plural (las, los) 27–28, 71
singular (el, la) 8–9, 71

-er verbs 115-116, 123, 151, 181
estar; 196, 197-198, 200
   compared with ser 197-198, 202, 228

gender 8-9
gustar 292, 293–294, 295, 306

hacer 258, 305; with time expressions 262–263

indefinite article (un, una) 39–40, 42, 71
interrogative sentences 63, 72
-ir verbs 180, 181, 227
ir 344, 345, 371
   expressions with 349; followed by infinitive to
   express future action 350

leer 117

llevar 382–383

months 214

negative sentences 60–61, 72
nouns
   feminine and masculine 8
   plural 25-26
numbers 81, 150, 330-331, 371
pensar 361, 363, 372
   pensar en 362
   pensar + infinitive to show intention 362
personal a 124–125, 151
poder 362-363, 372
poner 185
possessive adjectives 273, 274, 275, 276, 277, 305
prepositions 319, 320, 371
present progresive 200
preterite tense 427, 428, 430, 440
pronouns, subject 50-51, 54, 72

querer 121, 151
questions 63, 72

saber 151, 185
salir 184, 227
ser 169-170
   compared with estar 197–198, 202, 228
subject pronouns 50-51, 54, 72

tener 242, 304
   expressions with 244–245, 304
time expressions 94, 95-96, 97, 99, 101, 106,
   150–151
   at what time 105
traer 185

ver 151
vivir 185

verbs
 -**ar** verbs 48–49, 53–54, 72, 123, 181, 440
 beber 185
 dar 185
 decir 405–406, 440
 -**er** verbs 115–116, 123, 151, 181
 estar; 196, 197–198, 200
  compared with **ser** 197–198, 202, 228
 gustar 292, 293–294, 295, 306
 hacer 258, 305
  with time expressions 262–263
 ir 344, 345, 371
  expressions with 349; followed by infinitive
  to express future action 350
 -**ir** verbs 180-181, 227
 leer 117
 llevar 382–383
 pensar 361, 363, 372

 pensar en 362
 pensar + *infinitive* to show intention 362
 poder 362-363, 372
 poner 185
 preterite tense 427, 428, 430, 440
 querer 121, 151
 saber 151, 185
 salir 184, 227
 ser 169–170
  compared with **estar** 197–198, 202, 228
 tener 242, 304
  expressions with 244–245, 304
 traer 185
 ver 151
 vivir 185

weather expressions 255–256

Topical Index

Animals 379 (Lesson 22), 411 (Cápsula cultural)
Body 237 (Lesson 13)
Calendar 211 (Lesson 12) 225 (Cápsula cultural)
Colors 132 (Lesson 8)
Clothes 381 (Lesson 21)
Countries 413 (Lesson 23)

Days and months 211 (Lesson 12)
Dates 211 (Lesson 12)

Everyday activities 48 (Lesson 4), 115 (Lesson 7),
    180 (Lesson 10)

Family 26 (Lesson 2)
Foods 286 (Lesson 20), 194, 301, 358
    (Cápsula cultural)

Greetings 16

Holidays 260; 369 (Cápsula cultural)
House and home 270 (Lesson 15), 284 (Cápsula
cultural)

Languages in Spain 19 (Cápsula cultural)
Leisure activities 342 (Lesson 19)

Meals 286, 287, 289 (Lesson 16) 113, 130
(Cápsula cultural)

Measures 340 (Cápsula cultural)
Money 92 (Cápsula cultural)

Nationalities 413 (Lesson 23)
Neighborhood 319
Numbers in everyday life 81 (Lesson 5),
    330 (Lesson 18)

Partying 360 (Lesson 20)
Personal characteristics 132 (Lesson 8)
Physical characteristics 196 (Lesson 11),
    237 (Lesson 13)
Professions and trades 163 (Lesson 9)
Public places 315 (Lesson 17)
Puerto Rico 209 (Cápsula cultural)

Seasons and climate 255 (Lesson 14)
School 35 (Lesson 3)
School subjects 425 (Lesson 24)
Shopping 397 (Cápsula cultural)
Signs 328 (Cápsula cultural)
Spanglish 423 (Cápsula cultural)
Spanish last names 33 (Cápsula cultural)
Sports 253 (Cápsula cultural)

Time 94 (Lesson 6)

Weather 255 (Lesson 14)